D1050858

Lydie Raisin

La forme à la carte

• MARABOUT •

Sommaire

Introduction

Vous avez envie d'être en forme, d'avoir un corps ferme et de déstresser…

Faites du bien à votre corps, assouplissez-le, embellissez-le à l'aide des exercices proposés dans ce guide.

Mais attention: ne péchez pas par excès: mieux vaut s'entraîner 10 minutes au quotidien pendant des années que 45 minutes pendant deux mois, s'arrêter et reprendre de façon anarchique.

N'oubliez pas non plus que l'activité physique constitue un moyen de prévention efficace.

Toutefois, il importe de faire correctement les mouvements qui vous sont conseillés dans ce guide.

Ainsi, si vous le pouvez:

- pratiquez devant une glace, afin de vous corriger ;
- pensez à votre respiration ;
- travaillez sans précipitation.

Et surtout… sachez que souplesse articulaire, tonicité musculaire, dynamisme gestuel, bonne dépense calorique ne sont pas l'apanage d'une élite, mais les conséquences d'un entraînement sérieux et assidu.

Comment utiliser ce manuel ? C'est très simple: choisissez, parmi les cinq propositions ci-contre, celle qui correspond le mieux à votre tempérament, vos envies ou vos besoins…

Vous n'aimez pas perdre de temps à réfléchir pour ce style d'activité. Vous préférez travailler chaque partie de votre corps sur une longue période.	**Première solution** Vous suivez l'ordre chronologique des pages de ce guide et vous exercez votre corps scrupuleusement chapitre après chapitre.
Vous n'aimez pas faire à peu près la même chose deux semaines d'affilée.	**Deuxième solution** Vous activez une partie différente de votre corps chaque semaine.
Vous êtes pour le changement ! Pas de monotonie, ni dans la vie, ni dans la gym.	**Troisième solution** Vous exercez une partie différente de votre corps chaque jour.
Par goût ou par besoin, vous voulez travailler à fond sur une longue période une même région corporelle pour un résultat ciblé plus rapide.	**Quatrième solution** Vous ne désirez entraîner que deux ou trois parties de votre corps (le ventre et les hanches, par exemple).
La discipline, ce n'est pas pour vous ! Vive l'innovation…	**Cinquième solution** Vous laissez libre cours à votre inspiration en composant vous-même votre programme au jour le jour, en ne choisissant que des exercices qui vous plaisent vraiment !

Le ventre

Beaucoup de personnes hésitent à pratiquer des exercices pour la sangle abdominale en raison de leur appréhension de s'abîmer le dos ou, tout simplement, de ressentir des douleurs, notamment au niveau de la région lombaire. C'est pour cela que vous sont proposés des exercices d'abdominaux "dos au sol".

Il est cependant important de noter que si vous présentez une forte déformation vertébrale (surtout si elle est douloureuse), il est indispensable de montrer à votre kinésithérapeute les exercices décrits dans ce chapitre. Il vous dira explicitement ceux qui vous sont particulièrement recommandés.

Si vous n'avez jamais fait de sport, et que votre dos n'est pas du tout musclé, pas question de commencer directement le travail de renforcement de votre ventre. **Il est impératif de vous muscler le dos avant tout !**

Il est en effet néfaste, voire dangereux, de pratiquer des exercices d'abdominaux avec un dos atonique car cela provoque diverses tensions très déséquilibrantes pour la colonne vertébrale.

Changez de ventre !

4 exercices sélectionnés à faire chaque jour pour un ventre plat et ferme

▲ Cela ne vous prendra pas plus de 10 minutes.

▲ Votre dos sera toujours en position de sécurité pour tous les exercices conseillés.

▲ Vous n'avez besoin d'aucun équipement particulier.
La moquette suffit... et 2m² aussi !

▲ Vous développez votre ventre de façon harmonieuse en raison de la variété des exercices proposés qui activent un maximum de fibres musculaires.

Généralités

Important

Les abdominaux ne se situent pas seulement sur le devant…

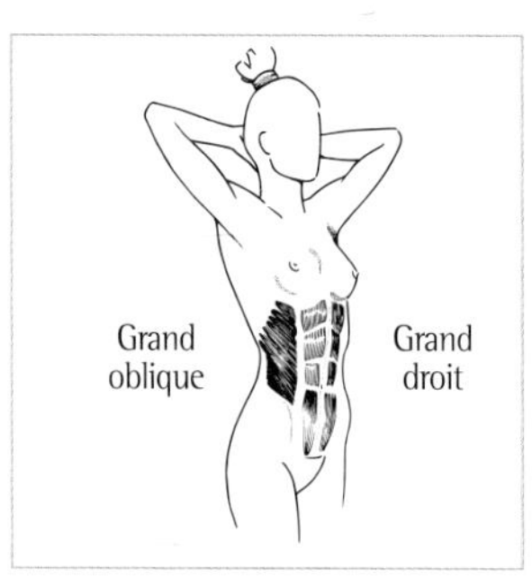

Couche superficielle des abdominaux

Couche moyenne des abdominaux

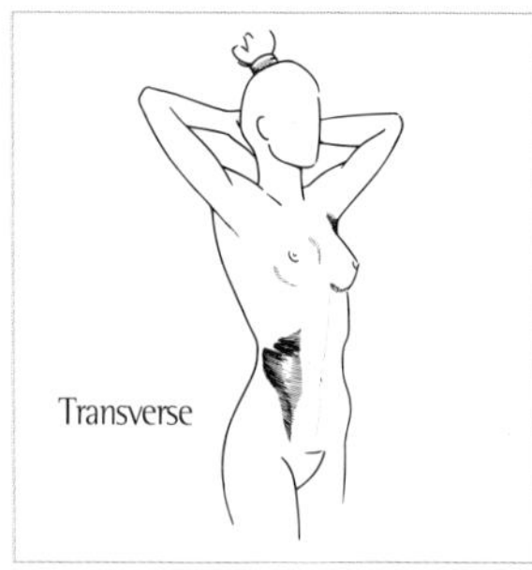

Couche profonde des abdominaux

Pour un ventre plat

Les quatre "trucs" à faire dans la journée

- Se tenir droite le plus possible en s'efforçant de "rentrer le ventre".
- Manger, en s'appliquant à bien mastiquer.
- Boire suffisamment (généralement, on conseille 1,5 litre de liquide par jour).
- Inspirer et expirer très longuement en profondeur pour "déstresser" à certains moments de la journée.

Ces conseils ne constituent bien évidemment pas le remède miracle, mais ils sont un complément efficace à la pratique des exercices décrits dans ce guide.

L'importance de la respiration

N'oubliez pas non plus le rôle essentiel de la respiration lors de la pratique des exercices abdominaux. Il est souvent conseillé, si on ne fait pas régulièrement d'exercices de culture physique, de commencer par des mouvements respiratoires. On peut par exemple gonfler le ventre en inspirant et le creuser en expirant. Votre kinésithérapeute vous l'expliquera sans problème.
À savoir : c'est surtout le muscle abdominal "transverse" qui travaille lors de l'expiration.

Si vous n'avez jamais fait d'exercices d'abdominaux, ne vous lancez pas directement mais pratiquez les deux exercices qui suivent, spécifiquement préventifs pour le dos, tous les jours, pendant un mois.

Une fois bien exercée, n'oubliez pas que vous pouvez augmenter à volonté les répétitions des mouvements qui vous sont proposés: **il n'y a pas de contre-indication.**

Les douleurs dues à des entraînements mal structurés (exercices dissymétriques, séances au rythme anarchique…) peuvent apparaître un ou deux ans plus tard (voire plus). Donc, mieux vaut retarder de quelques semaines le travail spécifique abdominal plutôt que de provoquer des lésions difficilement réparables.

Deux exercices préventifs pour le dos

À faire pendant deux mois si vous avez un dos fragile ou atonique. Ne commencez vos séances d'abdominaux qu'après.

Détail de ces exercices dans les pages suivantes.

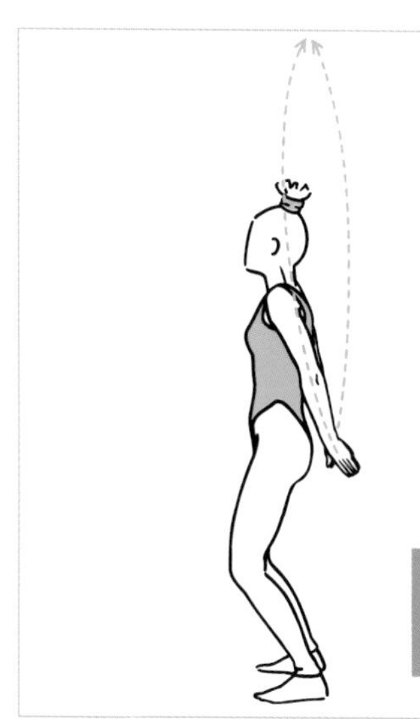

Exercice A

Un des meilleurs exercices de tonification dorsale !

Toucher les mains au-dessus de la tête puis derrière le dos en alternance en gardant les bras tendus.

Réalisation minimum : 2 fois 8 mouvements.

On se sent réellement déliée après l'avoir fait, un peu comme après un cours de natation.

Exercice B

Le mouvement complémentaire au précédent.

Serrer et écarter les bras tendus.

Réalisation minimum : 3 séries de 8 mouvements.

Vous ne connaissez que celui-là et contrairement à ce que vous pensez, ce n'est pas un exercice exclusivement pour les bras mais un mouvement pour le dos.

Votre question : **Faut-il absolument demander l'avis de son médecin avant de commencer les exercices ?**
Réponse : **Si vous souffrez de douleurs dorsales ou de la région du ventre (même ponctuellement), il est indispensable de prendre conseil auprès du corps médical. Si vous êtes en bonne santé, cela ne semble pas utile. N'oubliez pas cependant que nous souffrons toutes — plus ou moins — de déformations vertébrales, et qu'il est quand même plus profitable de se tonifier que de ne rien faire !**

Votre question : **Quels peuvent être les réels dangers de pratiquer des exercices d'abdominaux sans se muscler le dos ?**
Réponse : **La colonne vertébrale étant maintenue en équilibre entre les muscles abdominaux et les muscles dorsaux, si on développe plus les uns que les autres, il est évident que des tensions le plus souvent douloureuses vont se créer.**
Il est donc primordial de trouver un juste équilibre entre les deux, mais il est pourtant essentiel de muscler toujours le dos avant la sangle abdominale. En effet, la partie dorsale musclée intelligemment donne une allure droite et altière, alors qu'en développant uniquement les muscles abdominaux, on risque d'accentuer une posture arrondie de la colonne vertébrale, et de générer ainsi toutes sortes de déséquilibres.

Deux exercices préventifs pour le dos

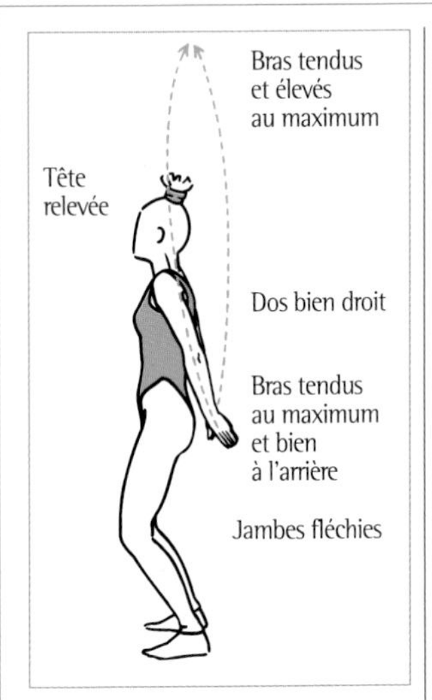

Le détail à ne pas oublier…

Conservez le dos bien droit pendant toute la durée de l'exercice, car on a souvent tendance à se pencher vers l'avant en arrondissant le dos.

Comment respirer ?

Expirez sur une des deux phases de l'exercice comme il vous convient ou sur chacune si vous le faites vraiment lentement.

Combien de fois faut-il répéter l'exercice ?

Il convient de faire au moins 2 fois 8 mouvements si vous ne le connaissez pas. Pratiquez une vingtaine de répétitions sans arrêter si vous êtes plus expérimentée. Reposez-vous et recommencez.

Ne faites pas…

Une extension des jambes en élevant les bras: elles doivent rester immobiles.

Exercice A

C'est un mouvement de grande amplitude agréable à faire et relativement complet. Il est tout à fait préférable de prendre son temps pour le réaliser, afin d'acquérir de la souplesse et un relief musculaire harmonieux. Le dos est une partie du corps qui se muscle aisément. En pratiquant régulièrement et correctement des exercices, on obtient assez rapidement un dos aux reliefs discrets et esthétiques.

Préférez – surtout si vous n'avez jamais fait de sport – remuscler votre dos sans charge additionnelle (comme des petits poids ou bracelets de plomb).

Avec le propre poids de son corps, c'est déjà très efficace !

But de l'exercice

- Faire travailler l'ensemble de la masse musculaire dorsale dans le sens vertical en la tonifiant.
- Assouplir les muscles car ce mouvement les étire (s'il est fait correctement) ainsi que les articulations des épaules.

Si vous avez tendance à avoir un peu les épaules en avant, ce mouvement constitue **un excellent exercice de gymnastique corrective**.

À noter: si on penche le buste (avec le dos plat), on sollicite les muscles dorsaux, notamment les muscles lombaires.

Comment le faire ?

De la position debout, fléchissez vos jambes en les écartant à peu près de la largeur du bassin. Vos pieds sont parallèles.

Il ne vous reste plus qu'à faire se toucher vos paumes au-dessus de la tête et derrière le dos en alternance.

Sur la partie haute du mouvement: tirez au maximum les épaules vers l'arrière ; sur la partie basse: ne laissez pas retomber les mains trop bas sur les reins, mais au contraire éloignez-les au maximum.

Vous devez étirer en permanence vos bras vers l'arrière. La réalisation de ce mouvement s'effectue sur un rythme lent.

Toucher les mains au-dessus de la tête puis derrière le dos en alternance.

Réalisation minimum: 2 fois 8 mouvements.

Deux exercices préventifs pour le dos

Exercice B

Ce mouvement est complémentaire de l'exercice précédent. Pour cette raison, il est recommandé de faire les deux exercices à la suite et de ne pas les dissocier.
Si vous axez toute votre attention sur le fait de travailler en étirant bien vos bras en permanence (pas de gestes atoniques), vous constaterez par vous-même que cet exercice nécessite un certain effort d'où son efficacité.
Le point commun avec l'exercice précédent est qu'il aide également au redressement des épaules mais en plan horizontal, alors que l'exercice "A" étire à la verticale.

But de l'exercice

- Il remuscle en finesse essentiellement le haut du dos, en l'assouplissant et en permettant un meilleur maintien de la colonne vertébrale. Il donne également un très bon port de buste.

Comment le faire ?

À partir de la position debout, fléchissez vos jambes en les écartant à peu près de la largeur du bassin. Mettez bien vos pieds parallèles entre eux. Elevez vos bras parallèlement au sol.
Il ne vous reste plus qu'à rapprocher et éloigner vos bras l'un de l'autre en étirant au maximum les doigts.
Cet exercice comme le précédent se réalise sur un rythme lent.

Serrer et écarter les bras.

Réalisation minimum: 3 séries de 8 mouvements.

Le conseil à ne pas oublier

Pour une reprise d'activité, sans aucun risque, faites ces exercices au moins trois fois par semaine pendant deux mois, avant d'effectuer des entraînements journaliers.

Le détail à ne pas oublier…
Recherchez l'amplitude maximum sur ce mouvement, donc veillez à étirer le plus possible les épaules vers l'arrière.
Comment respirer ?
Expirez en ramenant les bras vers l'avant.
Combien de fois faut-il répéter l'exercice ?
Pratiquez au moins 3 fois 8 mouvements, en respectant bien les temps de repos entre les séries, si vous êtes débutante. Si vous êtes plus expérimentée, faites une vingtaine de répétitions de cet exercice sans vous arrêter. Reposez-vous et recommencez.
Ne faites pas…
Abaisser les bras au fur et à mesure de la réalisation des exercices.

Quatre exercices abdominaux pour les dos fragiles

Détail de ces exercices dans les pages suivantes

Les quatre exercices ci-après s'adressent à vous si :

- **Vous n'avez pas un dos très musclé.**
- **Vous ressentez une gêne, notamment vers le bas du dos lors de la réalisation de mouvements d'abdominaux.**
- **Vous souffrez d'une déformation vertébrale et vous ne pouvez réaliser des mouvements que dans la position "dos au sol".**
- **Vous n'avez jamais fait de sport de votre vie et vous désirez commencer avec le maximum de précaution.**
- **Les exercices "dos au sol" sont vos exercices préférés, et vous ne jurez que par eux !**
- **Vous avez eu antérieurement un traumatisme d'ordre musculaire ou tendineux et vous désirez reprendre une activité sportive avec le maximum de sécurité.**

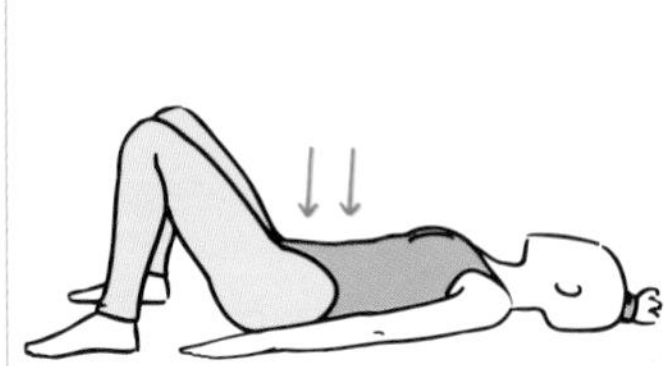

Exercice A

La sécurité totale pour votre dos.
Contraction de l'abdomen.
Réalisation minimum : 3 contractions.

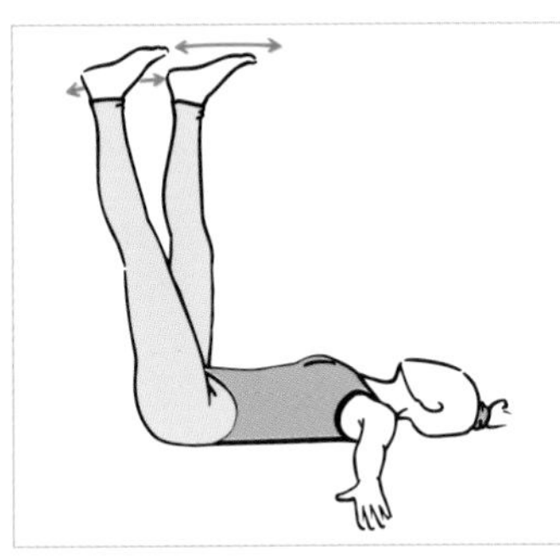

Exercice B

Le classique !
Petits battements des jambes tendues.
Réalisation minimum : 2 fois une douzaine de battements.

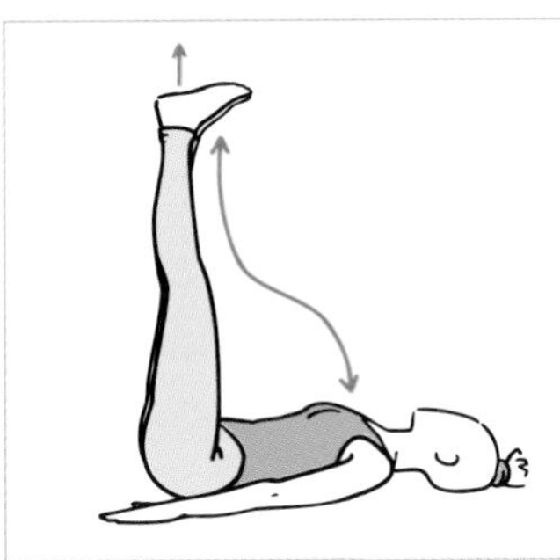

Exercice C

Beaucoup plus facile qu'il n'en a l'air.
Contraction du ventre en tendant les jambes.
Réalisation minimum : 6 contractions.

Exercice D

Le plus performant !
Petits cercles avec les jambes tendues.
Réalisation minimum : 8 cercles dans un sens, 8 cercles dans l'autre.

Quatre exercices abdominaux pour les dos fragiles

Simple rappel

Pour obtenir une amélioration sérieuse de l'état du ventre, il est indispensable de suivre les préceptes basiques d'une certaine hygiène alimentaire. Quels sont-ils ?

Tout simplement :

- S'hydrater (si possible entre les repas) de 1 à 1,5 litre d'eau par jour.
- Ne pas dépasser 1900 calories par jour, en étant plutôt sédentaire, et 200 calories de plus avec un peu d'activité physique.
- Manger de tout en quantité modérée.
- Ne pas oublier que varier son alimentation est un facteur extrêmement bénéfique pour la santé.
- Préférer la cuisine à la vapeur. En règle générale : évitez les plats en sauce.
- Faire du petit déjeuner ou du déjeuner son repas principal (sans excès).
- S'entraîner à manger lentement.
- Éviter les grignotages (c'est très dur… mais indispensable !).
- Boire un verre d'eau avant le repas afin de couper un peu l'appétit et bien sûr éviter l'alcool le plus souvent possible.
- Diminuer (sans les supprimer complètement) en quantité toutes les denrées qui font vraiment grossir comme le pain (surtout complet), le chocolat, les gâteaux, les glaces, les sauces de toutes sortes…
- Limiter les sorties au restaurant à une fois par semaine.

Votre question : **Quel est le moment le plus favorable pour s'exercer ?**
Réponse : **C'est une question d'ordre tout à fait personnel. Certaines personnes préfèrent s'activer le soir, d'autres le matin… Beaucoup aiment aussi s'entraîner en regardant un film à la télévision. Le seul critère à retenir : ne pas commencer autre chose en même temps, du style préparation d'un dîner. Quelle que soit l'activité physique exercée, il est essentiel de la pratiquer avec un minimum de concentration.**

Votre question : **Il est souvent dit que faire des abdominaux deux fois par semaine pendant 10 minutes ne sert à rien. Est-ce vrai ?**
Réponse : **C'est faux ! Au niveau esthétique, certes, le résultat est peu visible à court terme mais dans les domaines de tonicité et d'aptitude à l'effort des muscles, on constate une amélioration surtout chez une personne qui n'a rien fait depuis longtemps.**

Un avis médical…

Réponses du Dr Manodritta

- Quelles peuvent être les conséquences d'avoir un ventre relâché ?

Un ventre atonique implique souvent un trouble du transit intestinal. Une pratique régulière d'exercices d'abdominaux peut aisément l'éviter.

Si un abdomen est vraiment sans fermeté, cela peut être dû à une déhiscence des muscles de la paroi abdominale. Une hernie peut en être la conséquence. De même, en cas de cicatrice chirurgicale antérieure, une éventration peut malheureusement survenir.

Inutile de dramatiser : on peut acquérir un ventre plat ou presque, en s'en donnant les moyens, et en usant de constance et de rigueur.

Quatre exercices abdominaux pour les dos fragiles

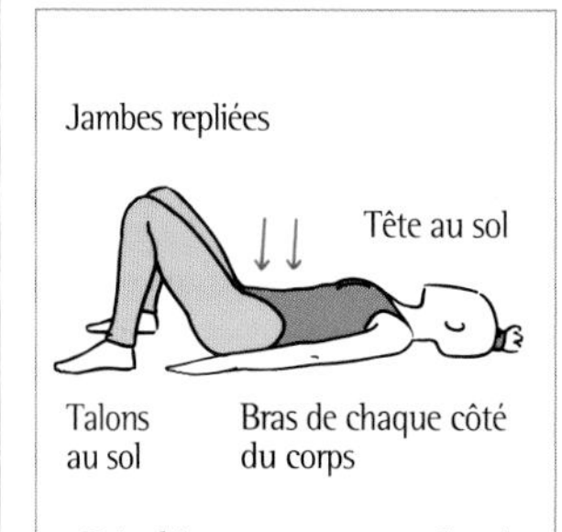

Le détail à ne pas oublier…

La région lombaire doit être bien en contact avec le sol. Les pieds placés assez près du bassin afin d'éviter toute cambrure: plus les talons sont éloignés du bassin plus le creux des reins s'accentue si on ne prend pas garde.

Comment respirer ?

Il convient d'expirer lentement sur toute la durée de la contraction. Une variante efficace: maintenir le ventre rentré durant l'inspiration.

Combien de fois faut-il répéter l'exercice ?

Pratiquez 3 contractions si vous débutez, 6 contractions si vous êtes un peu plus entraînée. Il n'y a bien sûr aucun inconvénient à ce que vous restiez un peu plus longtemps sur chaque exercice. Cela permet en plus de s'entraîner à contrôler son rythme respiratoire.

Ne faites pas…

la contraction abdominale en état d'apnée.

Exercice A

Cet exercice présente un énorme avantage: il ne nécessite pas une quantité d'énergie importante, on peut donc le faire même sans être en grande forme.
Il est d'ailleurs souvent utilisé en période postnatale.

But de l'exercice

- C'est le mouvement à faire en tout premier, car il permet de prendre conscience des muscles abdominaux et de leur aptitude à la contraction.
- Il tonifie efficacement le ventre en permettant de contrôler complètement son propre rythme de contraction.
- De plus, il redynamise également la région de l'estomac.

La contraction s'effectue du pubis jusque sous la poitrine. Pour votre information, sachez que c'est le muscle grand droit qui s'active.
En résumé, c'est l'exercice qui durcit en progression et en profondeur les muscles.

Comment le faire ?

Allongez-vous sur le dos en veillant à bien étirer votre colonne vertébrale comme si vous désiriez vous grandir.
Il est recommandé pour une meilleure aisance respiratoire de positionner les bras le long du corps et surtout de veiller à la parfaite décontraction du cou.
Les jambes doivent être suffisamment repliées et écartées. Quant aux pieds: ils sont positionnés parallèles entre eux.
Voilà, vous êtes prête à contracter avec progression vos abdominaux à partir de cette position.
Efforcez-vous de rester entre 3 et 6 secondes sur chaque contraction.

Cet exercice est simple et nécessite très peu de place. On pourrait presque le faire… avant de s'endormir !

Contraction de l'abdomen.

Réalisation minimum: 3 contractions.

Quatre exercices abdominaux pour les dos fragiles

L'exercice B

C'est un des exercices les plus connus pour le ventre. Il est d'ailleurs souvent pratiqué dans le cadre des cours de culture physique.
Il ne fait pas partie des mouvements les plus difficiles, mais par contre génère assez promptement une douleur tout à fait normale, preuve de son efficacité.
Donc, si vous êtes un peu entraînée, de grâce: ne vous arrêtez pas au huitième battement.

But de l'exercice

Tonifier le ventre, mais également aider à l'élimination de la couche graisseuse si les mouvements sont réalisés sur un rythme rapide.

Comment le faire ?

Il suffit de s'allonger sur le dos en décontractant bien le cou. Les bras doivent être placés en croix, les paumes tournées vers le sol afin de prendre éventuellement appui sur les mains.
Si vous préférez, vous pouvez aussi surélever votre bassin en plaçant vos poings dessous.
Les jambes sont élevées à la perpendiculaire et serrées. Les pieds sont en flexion pour obtenir une meilleure rentabilité du mouvement. Maintenant, il vous suffit, à partir de cette position, d'effectuer des petits battements de jambes.

Non ! Il ne nécessite pas une souplesse extraordinaire.... Faites-le avec le maximum d'extension au niveau des jambes, c'est tout ! A chacune ses capacités.

Petits battements des jambes tendues.

Réalisation minimum: 2 fois une douzaine de battements.

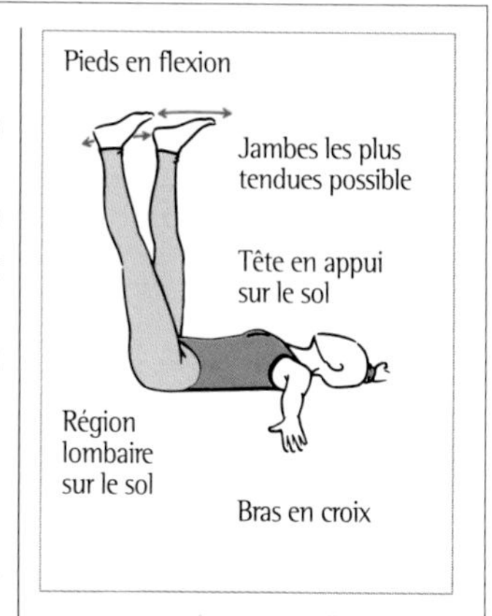

Le détail à ne pas oublier...

Ne descendez pas trop les jambes vers le bas, afin d'éviter toute cambrure lombaire.

Comment respirer ?

Expirer tous les 3 ou 4 battements.

Combien de fois faut-il répéter l'exercice ?

Réalisez 2 fois une douzaine de petits battements si vous débutez en récupérant bien à votre convenance. Ne forcez surtout pas sur le rythme. Si vous êtes plus entraînée, essayez de faire une trentaine de battements sans vous arrêter. Rappelez-vous: préférez les faire sur un rythme dynamique pour une meilleure élimination du surplus pondéral.

Ne faites pas...

- **Les battements avec la tête relevée. Cela peut causer des douleurs inutiles au niveau des vertèbres cervicales, qui risquent de se prolonger assez longtemps après la réalisation de l'exercice.**
- **Tirer les jambes trop en arrière, vers le sol.**

Quatre exercices abdominaux pour les dos fragiles

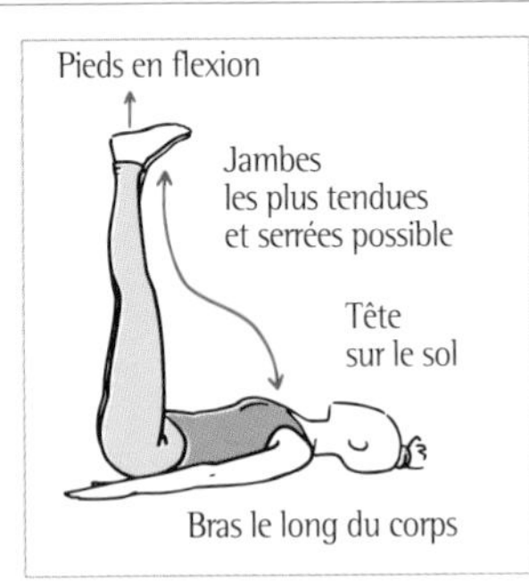

Le détail à ne pas oublier…

Ne cherchez pas à décoller le bassin sur la contraction. Certains abdominaux s'effectuent avec le bassin surélevé du sol, mais s'adressent à des personnes très entraînées.

Comment respirer ?

Il est recommandé d'être très vigilante en matière de respiration, afin de bien progresser. Expirez très lentement durant les contractions abdominales, c'est-à-dire durant les 4 secondes.

Combien de fois faut-il répéter l'exercice ?

6 contractions semblent déjà un excellent commencement. Une dizaine est recommandée si vous êtes plus entraînée. Exercez-vous à maintenir les contractions de plus en plus longues. Par exemple, contractez vos abdominaux pendant 4 secondes sur les trois premiers mouvements puis 5 secondes sur les cinq suivants et 6 secondes sur les derniers.

Ne faites pas…

La contraction abdominale en retenant votre respiration avec le buste dévié par rapport aux jambes.

L'exercice C

Ce mouvement effectué en deux temps permet comme pour l'exercice "A" de bien "sentir" les muscles abdominaux.
Son action s'effectue sur l'ensemble de l'épaisseur musculaire et est très bénéfique pour les organes. Il constitue une excellente préparation pour toutes les activités physiques faisant intervenir les muscles abdominaux, car il donne des fibres musculaires de qualité.
Il est souvent recommandé aux personnes qui souffrent d'une mauvaise circulation. Comme pour l'exercice "A", son action ne se limite pas au ventre mais s'étend aussi sur toute la région stomacale.
Si vous en avez le courage: faites-le deux ou trois fois avant de vous endormir.

But de l'exercice

- Durcir les muscles des abdominaux sans risque et avec progression lors de la première phase du mouvement.
- Décontracter le bas du dos.

Comment le faire ?

Allongez-vous sur le dos, en plaquant bien la région lombaire sur le sol et laissez vos bras reposer avec souplesse le long du corps.
A partir de cette position, il ne vous reste plus qu'à élever les jambes à la verticale et à contracter votre ventre durant 4 secondes. Vos pieds doivent être en flexion pour augmenter l'efficacité du mouvement. Relâchez ensuite complètement vos jambes durant 2 ou 3 secondes en les fléchissant sur votre poitrine, puis recommencez.

Accessible à toutes car il se compose d'une phase active et d'une phase de récupération. Il tonifie vraiment le ventre en profondeur.

Contraction du ventre en tendant les jambes.

Réalisation minimum: 6 contractions.

Quatre exercices abdominaux pour les dos fragiles

L'exercice D

Cet exercice peut être réalisé de plusieurs façons:
- Avec les jambes décontractées, si vous ne vous sentez pas en forme.
- Avec les jambes très tendues, si vous recherchez un maximum d'efficacité.
- En réalisant des cercles en souplesse, ce qui privilégie l'élasticité musculaire en plus de l'acquisition de la tonicité.
- En raidissant au maximum les muscles du ventre et des jambes, ce qui engendre un effort supplémentaire mais aussi une tonicité à toute épreuve.

Ce mouvement est pratiqué depuis très longtemps et, en quelque sorte, est un des "piliers" de la culture physique.

But de l'exercice

- Tonifier fortement la paroi abdominale.
- Éliminer la couche graisseuse ventrale si les mouvements sont faits sur un rythme assez soutenu.

Comment le faire ?

Allongée sur le dos, placez vos bras en croix, les jambes élevées et serrées à la verticale.
À partir de cette position, réalisez des cercles de faible amplitude.
Vous pouvez bien sûr prendre appui sur le sol avec les mains.
Il est plus bénéfique d'avoir les jambes les plus tendues possible, avec les pieds en flexion, mais si vous les fléchissez un peu, cela n'engendre aucune conséquence néfaste… juste un peu moins d'efficacité.

Un peu plus difficile que les précédents mais: EFFICACE !

Petits cercles avec les jambes tendues.

Réalisation minimum: 8 cercles dans un sens, 8 cercles dans l'autre.

Le détail à ne pas oublier…
Garder les jambes le plus possible en extension, même lorsqu'elles se rapprochent du visage.

Comment respirer ?
On expire par la bouche lorsque les jambes se rapprochent du visage, tous les deux cercles par exemple.

Combien de fois faut-il répéter l'exercice ?
Pour avoir un résultat minimum, il faut au moins faire 8 cercles dans un sens et 8 dans l'autre.
Si vous êtes très courageuse, entraînez-vous à faire une quinzaine de cercles dans un sens, puis dans l'autre. Prenez un temps de repos entre les deux séries.

Ne faites pas…
- **Creuser vos reins en raison de gestes trop amples.**
- **Placer les jambes trop en arrière, vers le sol, ce qui risque d'occasionner une cambrure lombaire.**

Quatre exercices à réaliser à votre rythme

Votre question: **En ce qui concerne les abdominaux, combien de temps faut-il pour l'obtention d'un résultat visible ?**
Réponse: **Tout dépend des caractéristiques physiques et physiologiques de chaque personne et surtout de son hygiène alimentaire et de son assiduité à la pratique d'efforts physiques, mais en général: au bout de deux mois de pratique journalière, on constate une nette amélioration.**

Votre question: **Est-il contre-indiqué d'effectuer les exercices décrits dans ce guide si on suit une gymnastique personnalisée chez un kinésithérapeute ?**
Réponse: **Tout dépend bien sûr de la raison pour laquelle vous êtes en traitement chez un spécialiste mais, dans tous les cas, il est plus prudent de lui montrer les exercices que vous désirez faire. Il vous indiquera de façon certaine ceux qui ne vous sont pas bénéfiques. Mais sur le nombre d'abdominaux proposés dans ce livre, il est bien évident qu'il en restera un certain nombre que vous pourrez réaliser.**

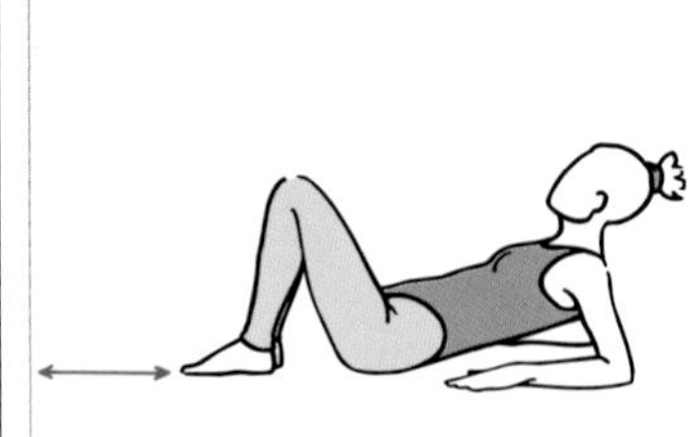

Exercice A

Pour commencer en douceur.
Ramener et éloigner les jambes serrées.
Réalisation minimum: 10 répétitions.

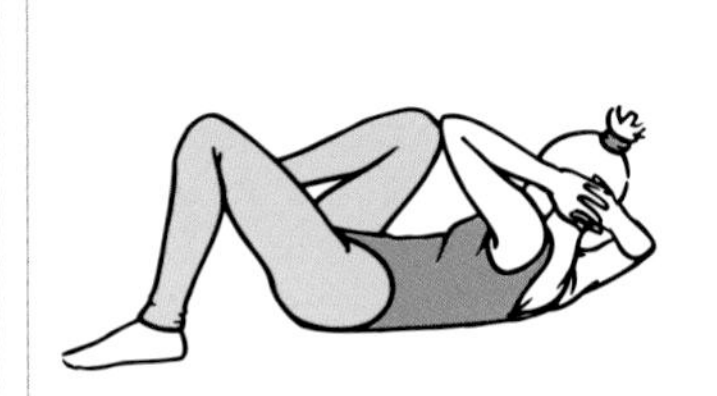

Exercice B

Un mouvement complet.
Le genou vers le coude opposé.
Réalisation minimum: 10 répétitions.

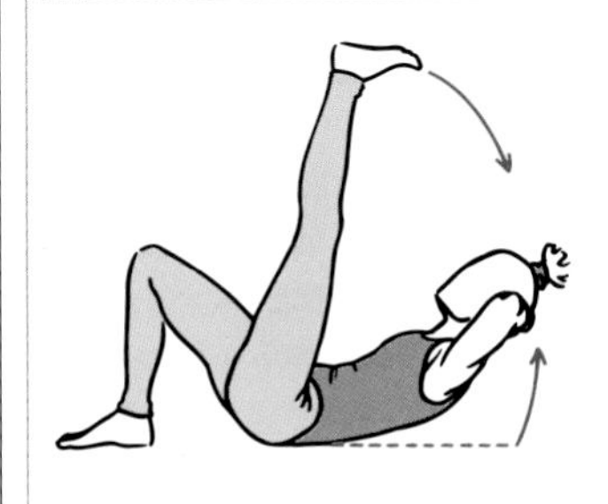

Exercice C

Le dynamique !
Relevé du buste et montée d'une jambe tendue simultanément.
Réalisation minimum: 10 répétitions de chaque jambe.

Exercice D

Et de plus, ce mouvement exerce cuisses et fessiers !
Petits cercles avec les jambes tendues et écartées.
Réalisation minimum: 10 cercles dans un sens, 10 dans l'autre sens.

Quatre exercices à réaliser à votre rythme

Un avis médical

• Quels sont les bienfaits par rapport à l'accouchement de posséder une sangle abdominale entretenue ?
La grossesse provoque d'importantes modifications hormonales, dont le ralentissement est une hypotonie (diminution de la tonicité musculaire) de la paroi abdominale et des intestins (ballonnements). Il est donc essentiel d'avoir des muscles abdominaux entretenus, afin qu'ils puissent remplir au mieux leur rôle de maintien.
N'oubliez pas que le fœtus en se développant refoule différents organes et que plus ceux-ci sont conservés à leur place respective, plus on évite de désagréments, voire certains problèmes.
Certaines femmes pensent au contraire qu'il est mieux pour le confort du futur bébé d'avoir un ventre souple, et de ce fait stoppent toute activité physique plusieurs semaines, voire plusieurs mois avant leur grossesse: la conséquence en est un ventre extrêmement relâché pendant la grossesse et après l'accouchement.

• Doit-on reprendre le travail abdominal tout de suite après avoir accouché ?
Un délai de 6 semaines semble raisonnable pour une personne désireuse de se remuscler et qui n'est pas une sportive professionnelle.
Si vous n'avez jamais fait de sport, il n'est pas trop tard pour commencer, mais faites-le progressivement les premières semaines après avoir accouché, impérativement sous le contrôle d'un professionnel.

• Pourquoi a-t-on parfois le ventre ballonné en dehors des règles ?
Il peut y avoir plusieurs raisons à cet inconvénient:
– La colopathie (colon irritable) en est une ; exagérée par l'absorption de crudités telles les choux ou concombre.
– La sédentarité suscitant un ralentissement général des fonctions peut également être à l'origine de ce phénomène.
On ne peut que conseiller une activité physique régulière, même de courte durée, afin de réduire ou supprimer ce problème.

Votre question: **Est-ce dangereux de commencer directement à s'entraîner tous les jours en culture physique, si l'on n'a pas fait de sport depuis longtemps ?**
Réponse: **Dangereux… NON ! Mais cela peut avoir pour conséquence certains micro-traumatismes d'origine musculaire ou articulaire, si vous êtes une personne fragile. En effet, solliciter subitement sans jour de repos intermédiaire des muscles restés longtemps inactifs peut, en plus de l'inconfort dû aux courbatures, créer un certain rejet envers l'activité sportive. Il faut pour la culture physique et spécifiquement pour la pratique des abdominaux s'entraîner avec progression en dosant bien son effort. Il est important d'être très à l'écoute de son corps pendant les deux ou trois premiers mois d'activité physique. Le mieux est de commencer par deux séances par semaine en choisissant les deux programmes journaliers qui vous conviennent le mieux. Faites-les pendant deux mois puis passez à trois séances par semaine pendant un mois avant d'adopter le programme journalier. En suivant ce conseil, vous optez pour une sécurité optimale !**

Quatre exercices à réaliser à votre rythme

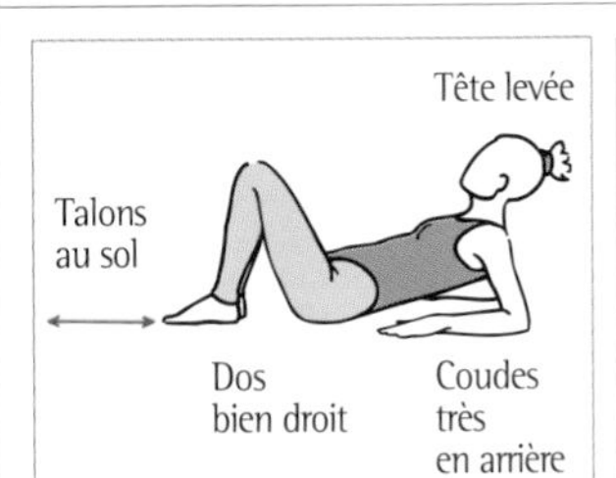

Le détail à ne pas oublier…

L'étirement doit être ressenti au niveau du ventre et non pas des reins ; donc: n'éloignez pas trop vos pieds du bassin ! Vous ne devez pas ressentir de tiraillements au niveau du dos.

Comment respirer ?

On expire en rapprochant les jambes, car l'effort se situe à ce moment-là, et non en les éloignant.

Combien de fois faut-il répéter l'exercice ?

Une dizaine de fois à votre rythme si vous êtes débutante, en vous arrêtant au cinquième mouvement si vous en ressentez le besoin. Une vingtaine de fois si vous n'êtes plus néophyte, en respectant cette consigne: réalisez les 10 premiers mouvements à votre rythme, puis réalisez les 10 autres sur un rythme plus lent.

Ne faites pas…

- **Un grand geste des pieds à chaque mouvement: ils doivent se décoller le moins possible du sol.**
- **Compenser une défaillance abdominale lors du retour des pieds vers le bassin par un mouvement de reins.**

L'exercice A

Ce mouvement est conseillé aux personnes débutantes car sa position en appui sur les coudes permet un excellent contrôle du mouvement.
Rassurez-vous: la sensation d'étirement musculaire que vous allez ressentir vers le bas du ventre est tout à fait normale ; elle est le témoin de son efficacité.
Pour votre information, si vous êtes enceinte: cet exercice est à proscrire absolument (plus encore que d'autres abdominaux).

But de l'exercice

- Préparer la masse musculaire aux exercices suivants en l'assouplissant et en la raffermissant.

Comment le faire ?

Avant tout: il faut bien se placer dès le début afin de se sentir en état de confort maximum.
Le départ s'effectue en position assise, avec les jambes fléchies et serrées. Les pieds sont placés assez près du bassin.
Le point le plus important: la position des coudes. En effet, ils doivent être suffisamment éloignés du buste vers l'arrière pour permettre un placement bien droit de la colonne vertébrale. On constate que plus les avant-bras sont posés vers l'avant, plus le dos s'arrondit: d'où le risque d'une application erronée de l'exercice. Veillez donc à conserver le dos le plus droit possible et la tête relevée.
À partir de cette position, il vous suffit d'éloigner avec modération vos pieds et de les ramener à leur place initiale sans précipitation.
N'oubliez pas: plus vous éloignez vos pieds, plus l'étirement ventral est intense, donc ne forcez pas trop lors des premiers mouvements.

À faire en tout premier car il échauffe les muscles sans les traumatiser.

Ramener et éloigner les jambes serrées.

Réalisation minimum: 10 répétitions.

Quatre exercices à réaliser à votre rythme

L'exercice B

Si vous avez le temps de ne faire qu'un exercice: faites celui-là ! Ce mouvement possède la faculté d'exercer le devant mais aussi les côtés, le haut et le bas des abdominaux: ce qui en fait un exercice vraiment intéressant.
Ne vous alarmez pas: il est beaucoup moins difficile qu'il n'y paraît.
D'ailleurs vous n'êtes pas obligée de faire un mouvement de grande amplitude.

But de l'exercice

- Donner du tonus musculaire, de la souplesse à l'ensemble des abdominaux.
- Réalisé sous une forme dynamique, il aide activement à l'élimination de la petite couche disgracieuse qui les recouvre.

Comment le faire ?

Allongez-vous sur le sol. Placez vos mains derrière votre nuque. Entrelacez vos doigts.
Si vous le pouvez, préférez placer votre main gauche sous l'omoplate droite et vice versa. Cette position évite des tensions au niveau des vertèbres cervicales lors des relevés de buste.
Repliez vos jambes en les écartant un peu. Vérifiez que vos talons sont bien en contact avec le sol.
Il ne vous reste qu'à toucher le genou gauche avec le coude droit.
Il est indispensable d'élever la jambe gauche fléchie et le buste simultanément pour bien faire cet exercice. Ensuite inversez avec le genou droit et le coude gauche.
Si vous êtes très souple au niveau des jambes, ne trichez pas en ne relevant que très peu le buste.

Très intéressant, ce mouvement, car il ne fait pas travailler seulement le devant du ventre, mais aussi les côtés, vous savez, là... où se logent les petits surplus.

Le genou vers le coude opposé.

Réalisation minimum: 10 répétitions.

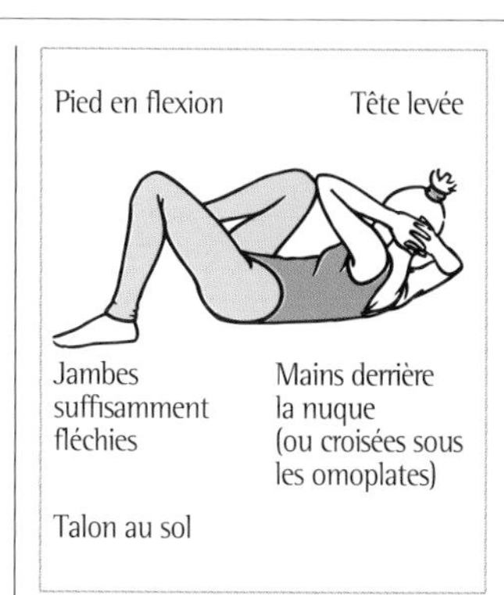

Le détail à ne pas oublier...
Ne "tirez" pas sur votre nuque avec les mains lors de chaque remontée de buste.
Comment respirer ?
Expirez lorsque le coude touche le genou.
Combien de fois faut-il répéter l'exercice ?
Une dizaine de fois à votre rythme si cet exercice est inconnu pour vous. Pratiquez-le une vingtaine de fois d'une façon assez dynamique si vous êtes plus entraînée.
Ne faites pas...
Un déplacement latéral du bassin sur le côté afin de réaliser plus aisément l'exercice.

Quatre exercices à réaliser à votre rythme

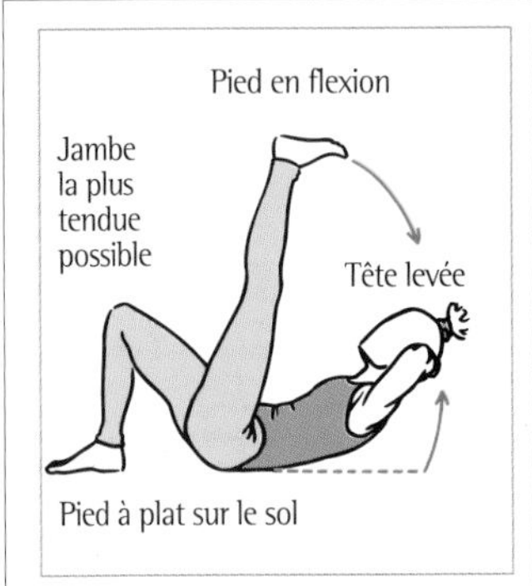

Le détail à ne pas oublier…
Regardez vers le haut durant toute la durée du mouvement et non pas vers le bas (ce qui peut donner des tensions au niveau du cou).
Comment respirer ?
Expirez à chaque relevé "buste-jambe".
Combien de fois faut-il répéter l'exercice ?
Une dizaine de répétitions avec la même jambe, à votre rythme, constitue déjà un bon entraînement si vous êtes débutante.
Une vingtaine au minimum avec la même jambe en prenant un temps de repos à votre convenance est conseillé si vous êtes une adepte de la culture physique.
Ne faites pas…
Preuve de trop d'énergie en prenant un superbe élan qui risque d'annuler en partie les effets bénéfiques du mouvement.
C'est un exercice tonique certes, mais qui ne doit pas transformer le corps en balançoire, car dans ce cas, des efforts non souhaitables se manifestent au niveau du dos.

Exercice C

Cet exercice agit sur l'ensemble de la masse abdominale de face (muscle grand droit). Il convient aussi bien à une personne non sportive, qui peut le réaliser avec lenteur et peu d'amplitude, qu'à une adepte chevronnée qui a envie de le réaliser sur un rythme soutenu en recherchant les gestes les plus grands.

But de l'exercice

- Tonifier bien sûr, mais aussi améliorer l'adaptation à l'effort du muscle si l'exercice est fait sous une forme dynamique.

Ce mouvement est surtout performant si on le fait sur un rythme relativement soutenu… au bout de quelques semaines de pratique !

Comment le faire ?

Comme pour les mouvements précédents, la position de départ est allongée sur le dos, les jambes repliées légèrement écartées. Les doigts sont noués derrière la nuque.
Si vous avez le cou fragile: placez votre main droite sous l'omoplate gauche et vice versa.
Il ne vous reste plus maintenant qu'à relever votre buste en même temps que ramener votre jambe droite la plus tendue possible vers votre visage. Procédez de même avec la jambe gauche.
Si vous le pouvez: mettez le pied de la jambe élévatrice en flexion.
Le talon de la jambe fléchie au sol doit être relativement près du bassin.

Vous n'êtes pas obligée de mobiliser toute votre énergie pour faire cet exercice: il peut se réaliser aussi avec modération !

Relevé du buste et montée d'une jambe tendue simultanément.

Réalisation minimum: 10 répétitions de chaque jambe.

Quatre exercices à réaliser à votre rythme

Exercice D

Sachez avant tout que vous pouvez faire sans problème cet exercice même si vous présentez une fragilité dorsale. La position des jambes en élévation est assez agréable, et par ailleurs elle facilite la circulation de retour du sang.
Si vous sentez la fatigue apparaître: il est possible de vous aider en repoussant le sol avec les mains, où de pratiquer le mouvement avec les jambes semi-fléchies.

But de l'exercice

- Il active les muscles du ventre en profondeur, ce qui les tonifie fortement.
- Il raffermit l'intérieur et l'extérieur des cuisses (ce qui n'est pas négligeable !). Et en plus, il est conseillé en cas de lourdeur au niveau des jambes.

Comment le faire ?

À partir de la position allongée sur le dos, élevez vos jambes bien en extension à la verticale en les écartant au maximum. Pour rentabiliser l'exercice: placez vos pieds en flexion. Cela tire sur les mollets mais c'est normal: le but recherché est de rendre plus complet le mouvement.
Portez surtout votre attention à ce que vos reins soient bien en contact avec le sol. Placez vos bras en croix, les paumes tournées vers le sol.
Il ne vous reste plus qu'à exécuter de petits cercles avec les jambes tendues dans un sens puis dans l'autre.

Excellent exercice ! En effet, il fait travailler en profondeur les abdominaux mais aussi l'intérieur et l'extérieur des cuisses, vous savez, là… où c'est un peu relâché.

Petits cercles avec les jambes tendues et écartées.

Réalisation minimum: 10 cercles dans un sens, 10 dans l'autre sens.

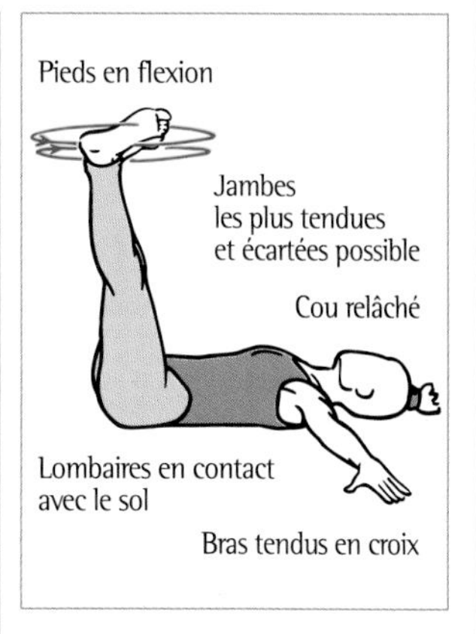

Le détail à ne pas oublier…
La région lombaire ne doit jamais être en état de cambrure. Elle est soit posée sur le sol, soit légèrement décollée.

Comment respirer ?
Expirez lorsque les jambes sont le plus près possible du visage.

Combien de fois faut-il répéter l'exercice ?
10 cercles dans un sens et 10 dans l'autre des deux jambes simultanément, constituent un nombre de répétition minimum pour rendre le mouvement efficace. Mais si vous vous en sentez le courage, 15 cercles dans un sens et 15 cercles dans l'autre, c'est nettement mieux !

Ne faites pas…
Des cercles simultanés d'amplitude différente, car cela peut créer un déséquilibre au niveau des muscles lombaires.

Quatre exercices à réaliser à votre rythme

Votre question: **Dans un cas d'obésité, est-ce que le fait d'exercer la sangle abdominale est contre-indiqué ?**
Réponse: **En théorie non ! Mais pour une question d'aisance gestuelle, il est logique de maigrir un peu en étant suivie par un spécialiste, avant de se lancer dans la culture physique. Il est ensuite fortement conseillé de continuer le régime en pratiquant des abdominaux bien adaptés au cas de la personne en suivant une méthodologie progressive.**
Bien souvent, le médecin pratique des tests cardiaques afin de déterminer s'il n'est pas néfaste pour la patiente de s'exercer. En général, le programme de restructuration abdominale démarre:
- lorsque la surcharge pondérale ne constitue plus une gêne importante pour réaliser les mouvements,
- quand la patiente se sent suffisamment en forme et ressent la détermination nécessaire pour s'astreindre à des séances régulières d'exercices d'abdominaux.
Dans le cas présent, il est conseillé pendant les trois premiers mois d'entraînement de suivre des cours particuliers avec un professeur diplômé d'état en culture physique et de se faire expliciter les exercices. Il lui sera par la suite aisé de pratiquer seule ses exercices personnalisés chez elle ou de suivre certains cours de culture physique collectifs.

Pour votre information

• On parle tout le temps des calories ; cela correspond à quoi ?
C'est une unité de mesure (contestée par certains…) en énergétique. Cela signifie qu'une calorie est la quantité de chaleur nécessaire pour élever d'un degré un kilo d'eau.
L'organisme consomme des calories pour maintenir ses fonctions vitales tels la respiration, le fonctionnement du cœur, des reins, du tonus musculaire, etc. Pour la femme cela correspond à 1 300 calories par 24 heures et pour l'homme, à 1 600 calories. L'organisme utilise également des calories pour réaliser une activité quelle qu'elle soit.

• Lorsqu'on pratique des abdominaux, il s'agit bien d'un travail musculaire ; comment se passe la dépense calorique ?
Si, pour réaliser un exercice d'abdominaux, les muscles brûlent 50 calories par exemple, sachez que seulement 10 sont dépensées pour la réalisation réelle du mouvement, les 40 autres se dispersent sous forme de chaleur.
En termes plus techniques, les 10 calories donnent l'énergie dynamique et les 40 calories l'énergie thermique.

• Pour une femme ayant une vie classique (travaillant dans un bureau, habitant en zone urbaine), comment sont réparties les calories journalières qu'elle dépense ?
En vulgarisant, disons que pour ses dépenses de thermorégulation (aptitude du corps à s'adapter à la température ambiante), le corps dépensera autour de 200 calories, pour le maintien des fonctions vitales (métabolisme de base) il utilisera 1 300 calories, pour la digestion, pour l'absorption intestinale des aliments à peu près 150 calories, et pour le travail musculaire journalier 500 à 550 calories.
Ce qui correspond à un apport quotidien indispensable de 2000 à 2200 calories environ.

Quatre exercices à réaliser sur un rythme plus dynamique

Exercice A

Vous le connaissez sûrement car on le pratique dans la plupart des cours collectifs.
Rapprocher et éloigner les jambes et le buste simultanément.
Réalisation minimum: 12 mouvements.

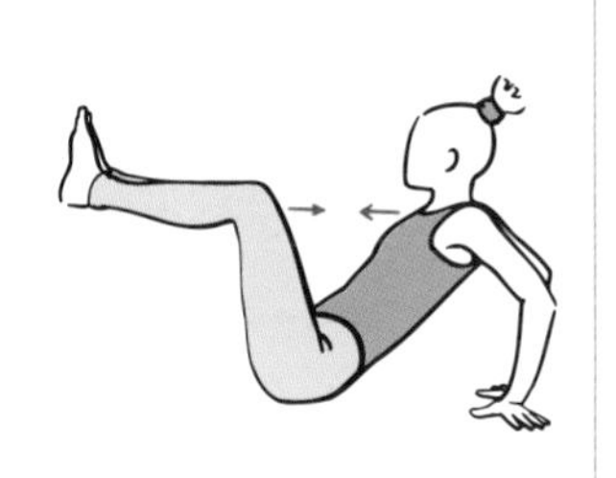

Exercice B

Il deviendra sûrement votre préféré car il affine aussi les cuisses !
Croiser et décroiser les jambes tendues.
Réalisation minimum: 20 répétitions.

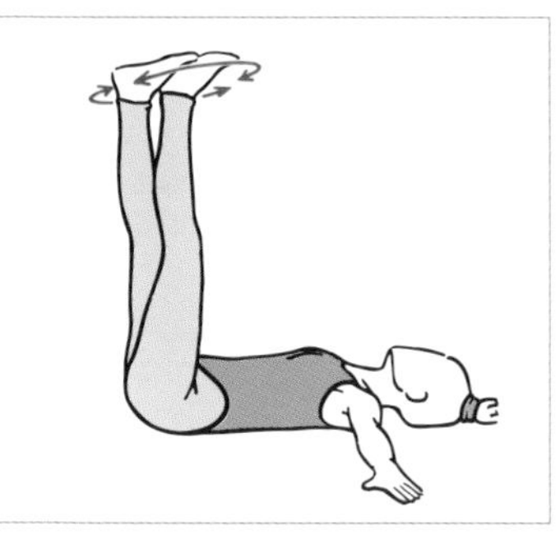

Exercice C

Pour le renforcement général du ventre.
Flexion et extension complète des jambes à droite et à gauche.
Réalisation minimum: 12 répétitions.

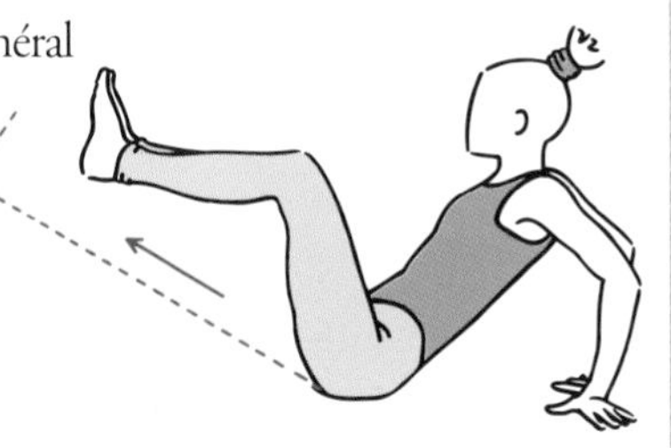

Exercice D

Quelle chance: celui-ci aussi exerce l'intérieur et l'extérieur des cuisses !
Écarter une jambe de l'autre sur le côté.
Réalisation minimum: 5 battements d'une jambe, 5 battements de l'autre.

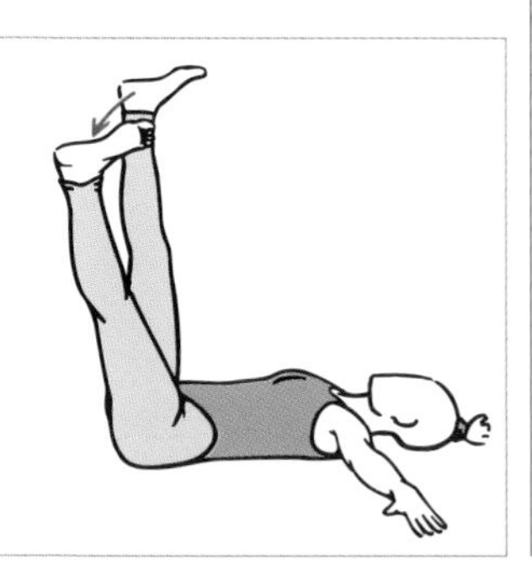

Détail de ces exercices dans les pages suivantes

Votre question: **Est-il absolument indispensable pour obtenir un résultat réel – c'est-à-dire un ventre plat et durci – de suivre un régime en même temps que la pratique des exercices ?**
Réponse: **Faire un régime, non! Mais avoir une hygiène alimentaire en permanence, oui !**
Si vous n'avez jamais fait de sport (ou s'il y a fort longtemps) et que vous diminuez tout à coup votre apport calorique, en vous exerçant, donc en exigeant de votre corps un effort physique inhabituel: vous risquez de créer ou d'accentuer un état de fatigue chronique au bout d'un certain temps, même avec seulement 10 minutes ou 15 minutes d'exercices par jour.
Alors que si vous respectez sérieusement une hygiène alimentaire, vous évitez aisément cet inconvénient !
Le résultat au niveau purement esthétique est peut-être plus long à constater dans ce cas, mais au moins il n'est pas obtenu au détriment de la santé.

Quatre exercices à réaliser sur un rythme plus dynamique

Le détail à ne pas oublier…
Conservez en permanence les jambes le plus serrées possible.
Comment respirer ?
Expirez en regroupant le buste et les jambes.
Combien de fois faut-il répéter l'exercice ?
Faites une douzaine de "groupés extensions" si cet exercice est inconnu pour vous.
Si vous n'êtes plus néophyte, réalisez une vingtaine de mouvements sans vous arrêter en respectant cette consigne: réalisez les 10 premiers mouvements à votre rythme, puis réalisez les 10 autres sur un rythme plus lent.
Ne faites pas…
Une flexion-extension de jambes sans retrait du buste, ce qui correspond à un simple mouvement de jambes et non à un exercice abdominal.

Exercice A

Un peu difficile d'élever les mollets ? Peut-être au début, mais c'est un des exercices où l'on progresse très vite.
La difficulté s'évalue en fonction de l'amplitude gestuelle et du rythme de la réalisation ; en effet plus cet exercice est réalisé avec lenteur, plus il tonifie les abdominaux, mais l'effort à fournir est plus intense.

But de l'exercice

- Si on exécute les mouvements sur un rythme lent: on durcit la partie basse des abdominaux.
- Si on exécute cet exercice sur un rythme assez soutenu: on raffermit la masse musculaire et on aide à l'élimination la petite couche graisseuse ventrale.

Comment le faire ?

À partir de la position assise sur le sol: fléchissez vos jambes. Prenez appui sur vos mains en plaçant vos bras semi-fléchis suffisamment en arrière pour bien étirer les épaules et avoir le dos bien droit (et surtout pas arrondi).
Élevez vos jambes fléchies et serrées en positionnant les mollets parallèles au sol.
À partir de cette position, éloignez et ramenez les jambes serrées et le buste simultanément.
N'oubliez pas: maintenez en permanence les mollets parallèles au sol et les pieds fléchis.
Rassurez-vous, ce n'est pas une faute si vous ne tendez pas complètement vos jambes lorsqu'elles s'éloignent du buste. En revanche, astreignez-vous à regarder devant vous et non vers le sol.
Sachez qu'avoir les pieds en flexion pour réaliser la plupart des exercices d'abdominaux ne constitue pas une obligation, mais cette position est plus intéressante. Elle provoque un étirement des muscles des mollets, donnant ainsi un meilleur tonus à l'ensemble de la position.

Ne vous y fiez pas: il est plus facile à faire en appui sur les mains que sur les avant-bras et de plus, le placement du dos est souvent meilleur dans cette position.

Rapprocher et éloigner les jambes et le buste simultanément.

Réalisation minimum: 12 mouvements.

Quatre exercices à réaliser sur un rythme plus dynamique

Exercice B

Vous avez dû pratiquer cet exercice à un moment donné ou à un autre de votre vie. Il ne vous surprendra donc pas.
Vous pouvez bien sûr réaliser des mouvements de petites amplitudes, mais si vous voulez rentabiliser au maximum cet exercice, faites de grands gestes toniques, en insistant sur la phase extérieure du mouvement.

But de l'exercice

- Tonifier les abdominaux avant tout, mais également raffermir l'intérieur et l'extérieur des cuisses, si les mouvements sont suffisamment amples.

Comment le faire ?

Allongez-vous sur le dos, placez vos bras en croix et élevez vos jambes à la verticale. Vous pouvez également mettre vos poings sous vos fessiers. Préférez placer vos pieds en flexion.
À partir de cette position : croisez et décroisez vos jambes.
Si cet exercice vous semble trop difficile, faites-le avec les jambes semi-fléchies.

Ce genre d'exercice présente également l'avantage de travailler l'intérieur et l'extérieur des cuisses surtout si vous le faites longtemps en variant le rythme de travail. Vous pouvez, pour un résultat optimal, alterner une série rapide de 20 mouvements avec une série lente.

Il est également possible de le faire en appui sur les avant-bras ou sur les mains....

Croiser et décroiser les jambes tendues.

Réalisation minimum : 20 répétitions.

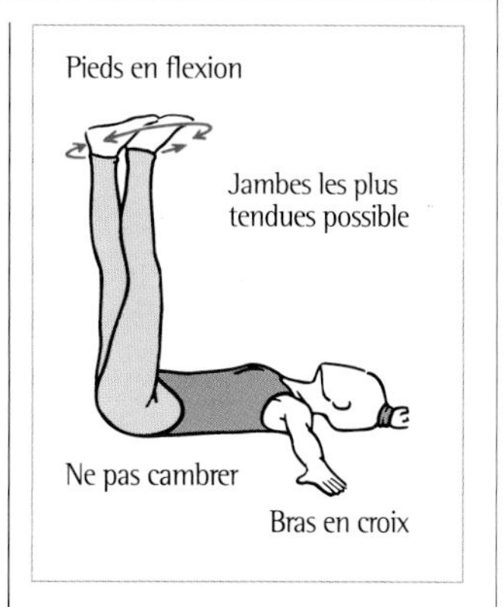

Le détail à ne pas oublier…
Insistez réellement sur l'amplitude gestuelle. C'est un peu plus difficile, mais combien plus complet et efficace.

Comment respirer ?
Expirez sur un des croisements.

Combien de fois faut-il répéter l'exercice ?
Une vingtaine de fois à votre rythme si vous êtes débutante. Une trentaine sur un rythme plus soutenu si vous êtes plus entraînée.

Ne faites pas…
- **Des croisés de jambes trop éloignés du buste, afin de ne pas "tirer" sur la colonne vertébrale en creusant le dos. Des mouvements trop violents qui risquent de déplacer votre bassin.**
- **Placer les jambes trop à l'arrière.**

Quatre exercices à réaliser sur un rythme plus dynamique

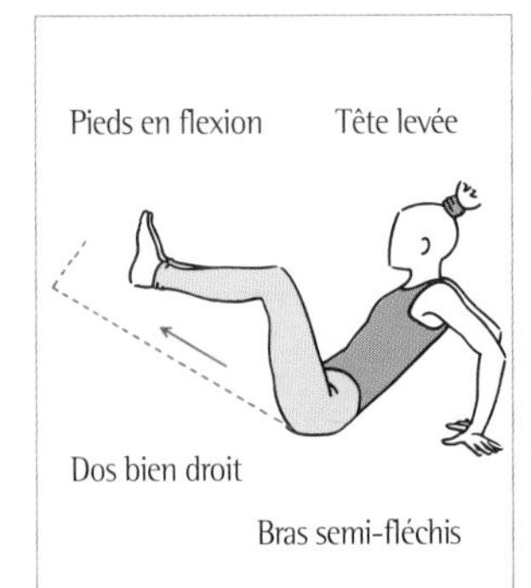

Le détail à ne pas oublier…
Marquez bien le retrait du buste sur l'extension des jambes, car on a souvent tendance à pratiquer uniquement les extensions en gardant le tronc immobile. Cela ne constitue en aucune façon une faute, mais cela devient plutôt un exercice pour les jambes que pour les abdominaux.

Comment respirer ?
Expirez par la bouche sur la phase de regroupement "jambes-tronc".

Combien de fois faut-il répéter l'exercice ?
Faites une douzaine de flexions-extensions, si vous êtes débutante, une vingtaine en amplitude maximum, si vous êtes plus entraînée.

Ne faites pas…
Une rotation des épaules sur l'extension des jambes: elles doivent rester droites en permanence.

Exercice C

Pas si difficile que cela et… surtout très complet !
Il est possible de le réaliser en reposant les pieds à chaque fois s'il vous semble d'un niveau trop élevé.
On peut aussi le faire dos sur le sol, les jambes à la perpendiculaire, en lançant les jambes à droite et à gauche sans les descendre en dessous de la verticale.

But de l'exercice

- Fortifier surtout les muscles latéraux (les obliques).
- Aider à la diminution des surplus pondéraux sur les côtés.
- Si vous êtes sujette aux ballonnements, il aide à leur élimination.

Comment le faire ?

À partir de la position assise sur le sol en appui sur les mains avec les bras fléchis (ou sur les avant-bras), serrez et fléchissez vos jambes.
Ne laissez pas votre menton retomber sur votre poitrine: tenez votre tête droite.
Élevez vos jambes fléchies en prenant soin d'avoir les mollets parallèles au sol et les pieds en flexion.
Il ne vous reste plus qu'à pratiquer une extension des jambes à droite et à gauche en alternance. À chaque extension des jambes, vous éloignez votre buste, à chaque flexion, vous le ramenez.
Si vous êtes néophyte: vous n'êtes pas obligée de faire une extension complète des jambes.

Plus facile en appui sur les avant-bras, plus performant en appui sur les mains.

Flexion et extension complète des jambes à droite et à gauche.

Réalisation minimum: 12 répétitions.

Quatre exercices à réaliser sur un rythme plus dynamique

Exercice D

Préférez réaliser cet exercice avec le dos au sol, plutôt qu'en appui sur les mains ou sur les avant-bras (sauf si vous êtes très entraînée). C'est en effet l'exercice type où l'on arrondit aisément la colonne vertébrale dès qu'on se sent fatiguée.

But de l'exercice

• Cet exercice est vraiment complet car il durcit le ventre dans ses zones frontale et latérales.
• Un point important: il tonifie efficacement les parties externes et internes des cuisses et de plus fait travailler les muscles fessiers.

Comment le faire ?

Allongez-vous sur le sol en étirant bien votre cou. Placez vos bras en croix, les paumes tournées vers le sol. Vous pouvez également placer vos mains sous vos fessiers.
Élevez les jambes tendues et serrées à la verticale en prenant soin de placer vos pieds en flexion.
Il ne vous reste plus qu'à monter et à descendre une seule jambe sur le côté en vous efforçant de maintenir l'autre immobile. La jambe d'action revient au même niveau que l'autre à chaque fois.
Si vous souffrez d'une fragilité lombaire: ne descendez pas trop la jambe.
Persévérez sur ce mouvement car il est très efficace. Il est bien évident que si vous le faites avec peu d'amplitude et les jambes fléchies, sa réalisation en sera plus aisée.
Les premières fois, vous pouvez commencer ainsi et tendre vos jambes au fur et à mesure que vous vous familiarisez avec le mouvement. De même, vous pouvez augmenter l'amplitude gestuelle avec la progression qui vous est propre.

Très facile si l'on éloigne peu la jambe ! Un petit peu moins, si l'on travaille avec beaucoup d'amplitude !

Écarter une jambe de l'autre sur le côté.

Réalisation minimum: 5 battements d'une jambe, 5 battements de l'autre.

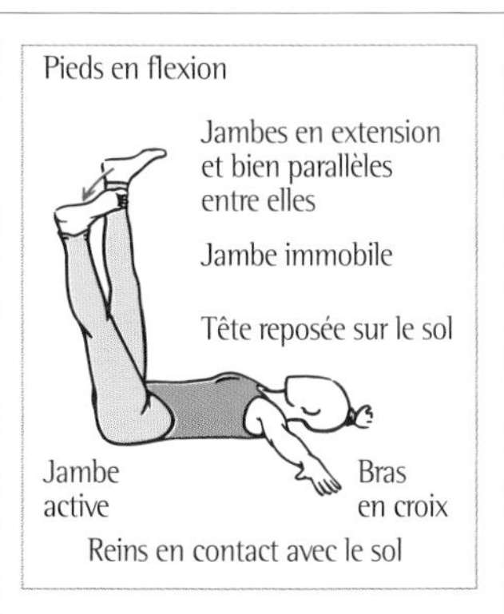

Le détail à ne pas oublier…
Efforcez-vous de ne pas trop décoller le bassin du sol à chaque battement, et donc contrôlez au maximum les gestes en prenant le moins d'élan possible.
Comment respirer ?
Expirez par la bouche en ramenant la jambe vers l'autre.
Combien de fois faut-il répéter l'exercice ?
Si vous n'avez jamais fait cet exercice: pratiquez 5 battements d'une jambe puis 5 battements de l'autre. Décontractez-vous pendant une dizaine de secondes, puis recommencez.
Si vous êtes plus entraînée: faites 8 battements de chaque jambe à votre rythme, suivis de 8 battements sur un rythme lent. Efforcez-vous de ne prendre qu'un bref temps de récupération quand vous le désirez.
Ne faites pas…
• Un petit sursaut du bassin à chaque mouvement pour faciliter le ramené de jambe.
• Des flexions anarchiques des jambes.

Quatre exercices à réaliser sur un rythme plus dynamique

Que pensez-vous de l'électro-stimulation ?

Question couramment posée ! La principale information à retenir est que l'électro-stimulation est un excellent complément à la pratique d'exercices d'abdominaux, car cela permet d'entraîner des muscles qui sont difficiles à tonifier par l'entraînement. Beaucoup de publicités vantent les bénéfices d'appareils d'électro-stimulation ; ne vous laissez pas tenter. En effet, pour acquérir un objet de qualité, l'investissement est très important. Évitez donc les équipements à prix trop modiques car souvent ils ne sont pas très fiables. Une notion que l'on a tendance à oublier est que la musculation à l'aide de cette méthode est efficace (si on utilise les bons appareils), mais aussi… très douloureuse. Actuellement, beaucoup de sportifs de haut niveau pratiquent ce type de musculation à l'aide d'équipements super sophistiqués en sus de leur entraînement spécifique. Il est exact qu'ils acquièrent très vite une musculature performante… mais au prix d'une certaine souffrance. Êtes-vous prête à faire comme eux ?

Les abdominaux et le yoga

Réponses de Madame Flavie Magnin Weil
Sophrologue - Professeur de yoga de la Fédération nationale de yoga

• Quels sont les mouvements issus du yoga se rapprochant le plus d'exercices d'abdominaux ?

Il n'y a pas mille façons de travailler les abdominaux, principalement le grand droit et les obliques. Ce que la culture physique instaure en mouvements rapides se retrouve dans le yoga en POSTURES que l'on tient immobiles (ce qui est plus dur sur le plan musculaire que pour des mouvements de gymnastique).
En culture physique, un muscle travaille, se relâche, s'exerce à nouveau, etc. Alors que dans une posture, il reste contracté ou étiré, et c'est à travers la respiration que l'adepte doit trouver l'énergie et la détente, maîtrisant peu à peu son corps pour détendre tout ce qui n'est pas immédiatement utile à la pose de yoga. Donc, comme en culture physique, les postures qui travaillent les abdominaux sont celles à plat sur le dos, avec les jambes à la verticale jointes ou ouvertes. Il y a aussi les torsions, dans le travail des obliques, les équilibres (car le maintien demande une bonne position du bassin et de la sangle abdominale) etc. sans oublier les postures couchées sur le flanc en relevant les jambes dans le prolongement du corps.

• Quelle est la technique de respiration qui aide à mieux faire les abdominaux ?

C'est d'abord une question de rythme… Dans les arts martiaux par exemple, l'effort est fait sur l'expire qui est brutal, sec.
Dans le yoga, la respiration complète est très lente ; elle développe le plan physiologique. On le constate au repos : lors de l'inspire, c'est le muscle du diaphragme qui, descendant légèrement vers le pubis, libère le bas des poumons.
Il fait entrer l'air par aspiration ; on voit le ventre se soulever très très légèrement. Puis, ce diaphragme remonte, chasse l'air ; le ventre retombe.
Dans la respiration complète pratiquée en yoga, l'inspiration, à peine amorcée dans le ventre (le diaphragme est alors bien libre), se poursuit par une ouverture des côtes, puis par une poussée du sternum, les épaules reculent, le menton se rapproche légèrement du corps, allongeant la nuque. Cette inspiration se

Quatre exercices à réaliser sur un rythme plus dynamique

poursuit par une rétention des poumons pleins, sans jamais forcer (ce qui pourrait être dangereux). Lorsque le besoin d'expirer arrive, c'est d'abord le ventre qui se rentre totalement, puis les côtes se resserrent, enfin la poitrine descend, et cette expiration se prolonge agréablement poumons vides.
On comprendra donc que la contraction des abdominaux se fait sur l'expiration et aussi lentement qu'elle. Debout, c'est au moment où le bassin bascule (idem en position assise) qu'on observe la personne qui respire parfaitement bien. C'est-à-dire qu'elle contrôle complètement sa respiration et resserre ses abdominaux, à chaque expire, dans chaque posture.
C'est dans le but de nos disciplines que se trouvent essentiellement les différences. Nous ne "cherchons" en yoga ni ventre plat, ni gonflette ; mais il est évident que le ventre plat est plus que souhaitable. En yoga, nous travaillons le corps ; mais c'est un moyen et non pas un but. Nous voulons aller vers une harmonie physique et mentale ; nous cherchons à découvrir les tensions, à les calmer. Il ne faut pas oublier que la posture pour le yogi n'est en aucune façon une performance physique, mais une position dans laquelle il peut, durant une heure, faire sa méditation, travailler son corps. Il s'agit pour lui d'être à l'aise dans n'importe quelle posture, en "oubliant" momentanément son corps.

Conclusion

Retrouver un ventre plat n'est pas une illusion si…

- On pratique régulièrement dix minutes d'exercices par jour.
- On ne rate pas une occasion de se dépenser physiquement.
- On ne se distingue pas par ses excès alimentaires.
- On use d'un peu de patience…

Votre question: **Faut-il s'arrêter ou continuer de faire des abdominaux pendant les vacances ?**
Réponse: **Deux cas se présentent:**
- **Soit vous avez un réel et urgent besoin de retendre votre sangle abdominale et, dans ce cas de figure, ne cessez de vous exercer que pendant quelques jours (par exemple: arrêtez-vous quatre jours tous les deux mois, si vous vous entraînez régulièrement 5 jours par semaine).**
- **Soit vous désirez simplement une amélioration au niveau de la fermeté du ventre, et une légère diminution de la masse graisseuse, et là il s'agit plutôt d'un entraînement d'entretien: stoppez sans culpabiliser la pratique de vos exercices pendant vos vacances… si elles n'excèdent pas 15 jours. On ne saurait cependant trop vous conseiller durant cette période de repos de pratiquer un sport en dilettante comme la natation.**

Hanches et fessiers

Vous rêvez de fessiers ronds et fermes ? Cela est tout à fait réalisable par des mouvements précis et bien réalisés. Comme pour le reste du corps, tout dépend de ce que vous désirez :

- Pour une amélioration de la fermeté et des contours fessiers, 10 minutes par jour vous donneront satisfaction.
- Pour une restructuration extrêmement importante, il conviendra d'avoir une hygiène alimentaire stricte, et de suivre les programmes de fessiers en augmentant leur durée.

Ce thème a été traité avec beaucoup de sérieux afin de personnaliser au mieux votre entraînement et de répondre à votre attente.
Et celles qui veulent prendre du galbe au niveau des fessiers, les a-t-on oubliées ?
Absolument pas. Il suffit qu'elles pratiquent les mêmes exercices avec aux chevilles des lests de 1 à 2 kg et qu'elles travaillent avec une extrême lenteur.

Changez de hanches !

4 exercices sélectionnés à faire chaque jour pour des fessiers fermes et harmonieux

▲ Variez vos exercices : ne faites pas toujours le même !

▲ Travaillez jambes et hanches au même rythme

▲ Contractez bien les muscles fessiers sur chaque mouvement

▲ Portez des vêtements amples pour vous entraîner

Généralités

Important

Mais comment sont faites exactement nos fesses?

Simplement comme ceci:

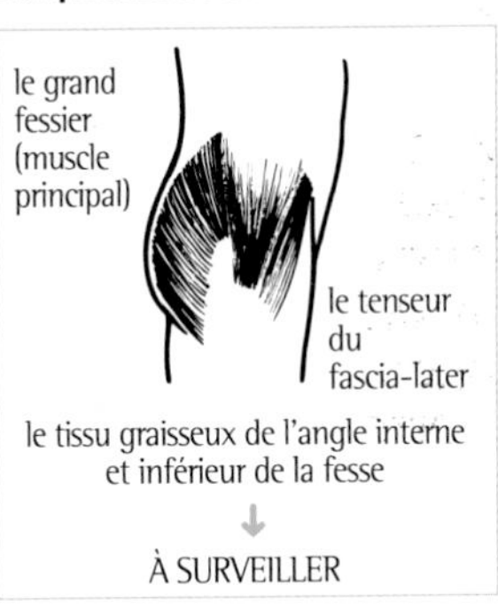

Sur un plan superficiel, on trouve:

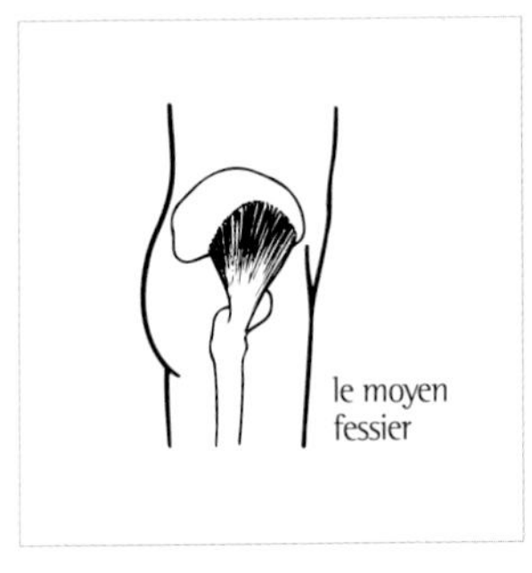

Sur un plan profond, on trouve:

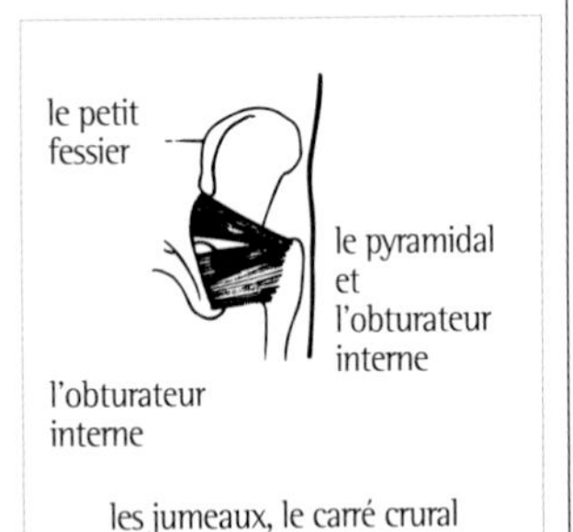

Les trois questions que vous vous posez

• **Faut-il porter des lests (bracelets de plomb de 0,5 kg ou de 1 kg, en général) aux chevilles pour obtenir un résultat plus probant et plus rapide ?**

Si vous êtes plutôt très mince mais avec un manque de fermeté évident de la région fessière: n'hésitez pas à porter des lests afin d'obtenir de jolis galbes. Dans un autre cas: ne le faites pas trop souvent en raison de la prise de volume musculaire que cela peut occasionner.

• **Y a-t-il une contre-indication à pratiquer les exercices décrits 20 minutes au lieu des 10 minutes par jour, si on est très motivée ?**

Absolument aucune ! Il est exact que de doubler les programmes journaliers ne pourra qu'accélérer la venue du résultat.

• **Que peut-on faire en complément de ces exercices pour obtenir plus vite satisfaction ?**

Vous pouvez pratiquer tous les sports qui contribuent à l'élégance fessière, tels le jogging, la marche, l'escalade, le vélo, la danse, la natation…

Vous pouvez également vous faire masser (assez énergiquement) et pratiquer l'électro-stimulation (chez certains praticiens spécialisés ou en milieu hospitalier) à l'aide de machines hyper-sophistiquées sous contrôle continu (mais attention: cela peut être parfois douloureux).

Abstenez-vous donc d'acheter les gadgets vantés par les publicitaires, vous risquez d'être très déçue !

Veillez à bien alterner les exercices suivants afin de solliciter un maximum de fibres musculaires pour obtenir un galbe harmonieux. En effet, la pratique d'un même exercice ne tonifiera qu'une partie précise du fessier. Elle peut même engendrer un effet inesthétique.

Quatre exercices à faire à votre rythme

Exercice A

Détail dans les pages suivantes

Vous verrez, on y prend goût !
Petits cercles avec la jambe supérieure tendue.
Réalisation minimum avec chaque jambe:
une dizaine de petites cercles à votre rythme (5 dans un sens et 5 dans l'autre), temps de repos, une douzaine de cercles plus grands (6 dans un sens et 6 dans l'autre) à un rythme lent.

Exercice B

Innover dans l'efficacité !
Elévations arrière de la jambe fléchie et tendue en alternance.
Réalisation minimum avec chaque jambe:
20 élévations (10 avec la jambe fléchie, 10 avec la jambe tendue).

Exercice C

Durcissement des fessiers et des cuisses assuré !
Flexions des jambes en appui sur les orteils.
Réalisation minimum:
8 petites flexions, temps de repos, puis 10 flexions plus grandes.

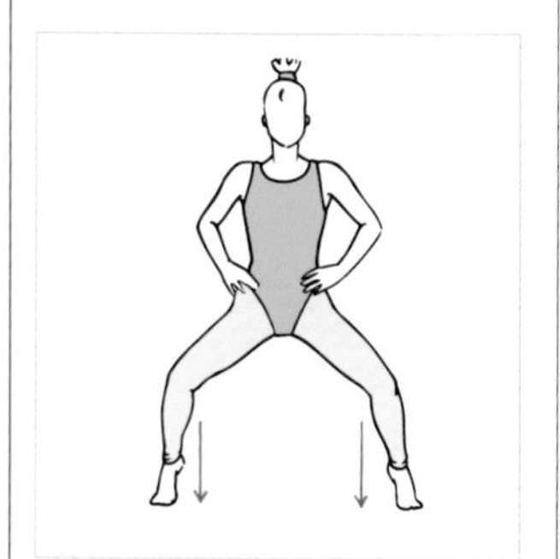

Exercice D

Travaillez en douceur votre aptitude à une coordination simple !
Sur le côté, en alternance: élévations de la jambe fléchie et semi-fléchie.
Réalisation minimum de chaque jambe:
une dizaine d'élévations alternées (5 avec la jambe fléchie, 5 avec la jambe semi-fléchie).

Quatre exercices à faire à votre rythme

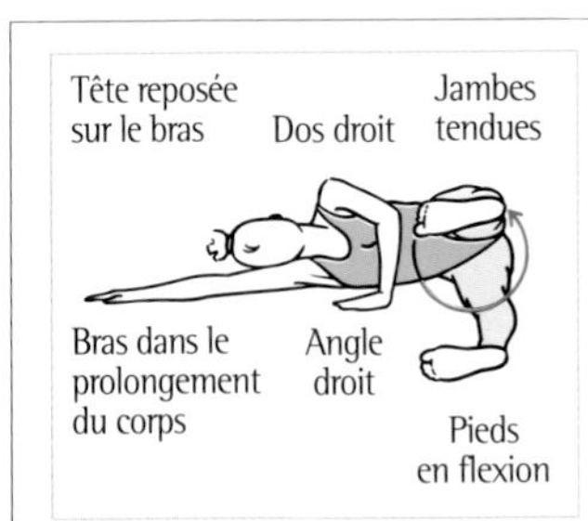

Le détail à ne pas oublier…

Faites les cercles plutôt très près du visage que trop éloignés, même si cela n'est pas la voie de la facilité !

Comment respirer ?

Expirez par la bouche sur la partie haute des cercles.

Combien de fois faut-il répéter l'exercice ?

Si vous ne connaissez pas cet exercice, avec chacune de vos jambes, faites une dizaine de petits cercles (5 dans un sens, 5 dans l'autre alternés) à votre rythme. Reposez-vous. Pratiquez à nouveau une douzaine de cercles plus grands (6 dans un sens et 6 dans l'autre alternés) à rythme lent.
Si vous êtes une fervente de ce mouvement, n'hésitez pas à pratiquer une douzaine de petits cercles (6 dans un sens et 6 dans l'autre alternés) à votre rythme, suivie d'une autre douzaine de cercles plus grands à rythme très lent.

Ne faites pas…

Un placement du bras (dans le prolongement du corps) trop vers l'avant, ce qui a tendance à arrondir la colonne vertébrale. Ce bras doit être maintenu en permanence dans l'axe du corps.

Exercice A

Surtout, prenez soin de bien vous placer sur cet exercice, afin de ne rien enlever à son efficacité.
Il est tout à fait normal de ressentir une sensation de “tiraillements” un peu derrière les cuisses si les jambes sont bien ramenées le plus près possible du visage ou tout du moins à angle droit.
Il est beaucoup plus bénéfique de travailler en extension musculaire maximale qu'en état de relâchement.
Il est vrai que réaliser des cercles avec les jambes (quelle que soit la position de base) présente plus de difficultés que les simples élévations, mais c'est un travail aussi plus complet. Logique: exécuter un geste en cercle nécessite la mise en action d'un plus grand nombre de fibres musculaires, qu'un geste sur un simple axe.
Certaines débutantes n'hésitent pas à diminuer leurs efforts en soulevant leur jambe active avec la main. Elles ont raison: mieux vaut s'aider que d'occulter l'exercice !

But de l'exercice

- Raffermir l'ensemble de la région fessière, surtout l'extérieur des hanches.
- Il tonifie également l'intérieur des cuisses.

Comment le faire ?

Placez-vous sur le côté. Placez votre bras dans le prolongement de votre corps et laissez reposer votre tête dessus.
Ramenez vos jambes tendues et serrées perpendiculairement par rapport au corps. Placez vos pieds bien en flexion.
À partir de cette position, réalisez des cercles avec la jambe supérieure sans la reposer sur l'autre.

Les mouvements à base de cercles sont toujours très complets; celui-là n'en est pas exempt…

Petits cercles avec la jambe supérieure tendue.

Réalisation minimum avec chaque jambe: une dizaine de petits cercles à votre rythme (5 dans un sens et 5 dans l'autre), temps de repos, une douzaine de cercles plus grands (6 dans un sens et 6 dans l'autre) à rythme lent.

Quatre exercices à faire à votre rythme

Exercice B

Il est plutôt conseillé d'effectuer cet exercice devant une glace – de profil si possible – afin de vérifier que les bras et les jambes sont toujours maintenus à angle droit.
Ce mouvement améliore la coordination et, si cela n'est pas votre point fort, il ne peut que vous être recommandé.
Le point essentiel réside dans le fait de dissocier les deux parties de l'exercice et de ne surtout pas faire un amalgame des deux.
N'ayez crainte : de part la position quadrupédique, vous ne risquez rien pour votre dos.
Souvent on oublie de bien maintenir le pied élévateur en flexion, alors : pensez-y !

But de l'exercice

- Améliorer l'ensemble des hanches, notamment la partie haute.

Comment le faire ?

À partir de la position quadrupédique (à quatre pattes), les membres étant bien perpendiculaires au sol : élevez en alternance une des jambes fléchie puis tendue.
Le pied doit être maintenu en flexion en permanence. Le mollet de la jambe élévatrice est bien perpendiculaire au derrière de la cuisse.
Attention à ne jamais trop descendre la jambe vers le sol, qu'elle soit fléchie ou tendue.

Pour changer : un exercice en deux phases !
Attention à bien synchroniser !

Élévations arrière de la jambe, fléchie et tendue en alternance.

Réalisation minimum avec chaque jambe :
20 élévations (10 avec la jambe fléchie,
10 avec la jambe tendue).

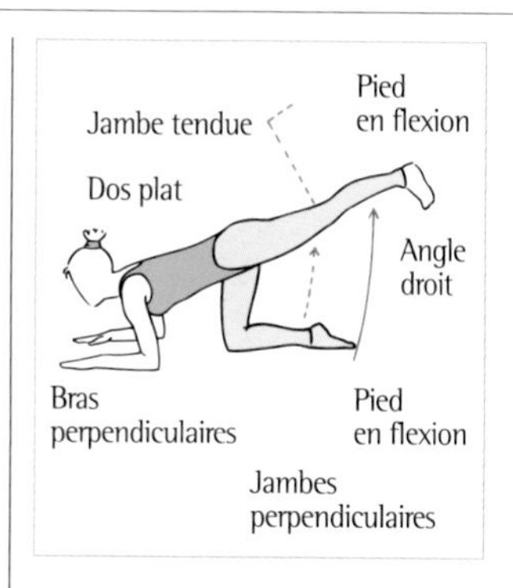

Le détail à ne pas oublier…
Gardez le corps bien parallèle au sol durant toute la réalisation du mouvement.

Comment respirer ?
Expirez sur une des élévations de la jambe.

Combien de fois faut-il répéter l'exercice ?
Si vous ne le connaissez pas, faites une vingtaine d'élévations de chaque jambe (10 avec la jambe fléchie alternées avec 10 la jambe tendue).
S'il vous paraît facile, n'hésitez pas à procéder ainsi : faites une dizaine d'enchaînements sur un rythme assez soutenu, puis une dizaine d'autres sur un rythme lent. Concluez par une dizaine sur un rythme très rapide.

Ne faites pas…
Une erreur courante : la flexion du mollet sur le derrière de la cuisse, à la place de l'élévation de la cuisse.
Il est important que le mollet soit bien à angle droit avec elle. Le mouvement n'est pas un exercice pour améliorer les jambes, mais les hanches. Le geste part donc de l'articulation de la hanche.

Quatre exercices à faire à votre rythme

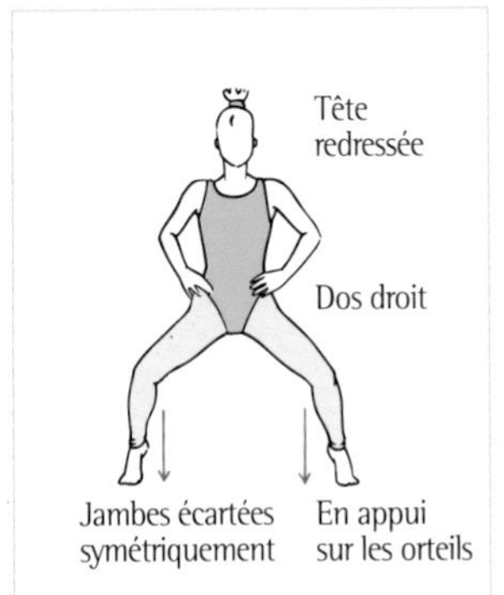

Le détail à ne pas oublier…

Ne trichez pas: ne reposez pas les talons au sol, même deux secondes. Cela annule une partie de l'efficacité du mouvement.

Comment respirer ?

Expirez par la bouche sur la remontée du corps.

Combien de fois faut-il répéter l'exercice ?

Si vous ne l'avez jamais fait, réalisez seulement 8 petites flexions, reposez-vous quelques secondes, puis efforcez-vous de faire une dizaine de flexions plus grandes sans interruption. Si vous êtes entraînée, réalisez une douzaine de petites flexions, enchaînez par une vingtaine de flexions un peu plus grandes sur un rythme plus soutenu. Terminez par 8 flexions très grandes et très lentes. C'est un peu plus difficile, mais d'une extrême efficacité.

Ne faites pas…

Une flexion du buste vers l'avant au moment où vous remontez votre corps. Le tronc doit rester bien droit en permanence.

Exercice C

C'est vraiment l'exercice le plus simple qui soit.
Il demande cependant une certaine concentration, car cela n'est pas toujours évident de se maintenir ainsi en état d'équilibre.
Pour vous aider à rester droite, une astuce: fixez une ligne droite (par exemple, l'encadrement d'une porte), vous verrez, cela marche !
Plus encore que les autres exercices, ce qui rend celui-ci très efficace, ce sont les différences d'amplitude.
Il a été constaté que l'on durcit beaucoup plus vite les fessiers en réalisant des séries de flexions grandes et petites en alternance qu'en exécutant toujours le même geste. Le muscle, en effet, doit se réadapter à un nouvel effort à chaque série de mouvement.
Beaucoup de personnes répandent le bruit que faire des flexions fait "gonfler" les cuisses. Il convient de répondre que, pour prendre du volume, il faut en faire beaucoup (au moins une demi-heure par jour).
En général, le muscle grossit surtout si on porte des poids (une barre de musculation sur les épaules par exemple).

But de l'exercice

- Muscler rapidement la partie médiane des fessiers.

Comment le faire ?

Debout, écartez bien vos jambes et placez-vous en équilibre sur les orteils.
À partir de cette position, réalisez des flexions de jambes sans les remettre complètement en extension.

Vous ignoriez qu'à chaque fois que vous vous baissiez, vous tonifiez vos fessiers…
En effet, toutes les flexions de jambes leur sont bénéfiques, surtout si vous êtes en équilibre sur les pointes de pieds !

Flexions des jambes en appui sur les orteils.
Réalisation minimum: 8 petites flexions, temps de repos, puis 10 flexions plus grandes.

Quatre exercices à faire à votre rythme

Exercice D

Découvrez avec enthousiasme cet exercice, car il restructure réellement les fessiers et justement là où on ne s'y attend pas.
Il agit vraiment en profondeur et complète de façon indispensable les trois autres exercices.
Bien sûr, élever la jambe sur le côté représente un effort assez important, mais efforcez-vous cependant de la monter suffisamment haute pour vraiment rentabiliser au maximum le mouvement.
Prenez soin, si vous y pensez, de garder la cuisse bien fléchie à angle droit lors de son élévation. On constate ainsi que si la jambe est beaucoup trop fléchie, la montée de jambe est plus facile, mais c'est au détriment de l'efficacité de l'exercice.
La synchronisation des deux gestes s'effectue plus aisément sur le côté qu'à l'arrière. En revanche, le taux de difficulté est plus grand.

But de l'exercice

- Il tonifie la partie extérieure de la région fessière ainsi que l'intérieur et l'extérieur des cuisses.

Comment le faire ?

À partir de la position quadrupédique (à quatre pattes), élevez en alternance sur le côté une des jambes en flexion et en semi-flexion.
Le pied de la jambe élévatrice doit rester en flexion en permanence.

Il n'est peut-être pas celui qui vous met le plus en valeur ! Mais une chose est sûre : si vous désirez un développement harmonieux de l'ensemble de vos muscles fessiers, il est indispensable de le faire !

Sur le côté, en alternance : élévations de la jambe fléchie et semi-fléchie.

Réalisation minimum avec chaque jambe : une dizaine d'élévations alternées (5 avec la jambe fléchie, 5 avec la jambe semi-fléchie).

Le détail à ne pas oublier…
La jambe doit s'élever le plus près possible de l'épaule, et non pas s'éloigner vers le bassin au fur et à mesure de la réalisation du mouvement.

Comment respirer ?
Expirez par la bouche sur une des 2 élévations de jambe.

Combien de fois faut-il répéter l'exercice ?
Si vous êtes débutante, ne forcez pas : faites seulement avec chaque jambe une dizaine d'élévations (5 avec la jambe fléchie alternées avec 5 la jambe semi-fléchie).
Si vous êtes en forme et entraînée, procédez ainsi : faites 8 élévations (4 avec flexion et 4 avec semi-flexion) à votre rythme, enchaînez par 8 petites élévations à rythme rapide. Concluez par 10 grandes élévations sur un rythme lent.

Ne faites pas…
Un déplacement latéral de la tête et du buste afin de les rapprocher de la jambe. Cela déforme la colonne vertébrale et va à l'inverse du but recherché.

Quatre exercices à faire à votre rythme

Votre question : **dans le cadre d'une activité sportive, à quel moment interviennent les exercices de stretching ? Doit-on pratiquer les exercices d'étirement en début d'activité ou à la fin ?**
Réponse : **tout dépend de l'activité.**
- **Au début d'une séance de danse, par exemple, le stretching fait office d'échauffement, préparant le muscle à des élongations plus brusques.**
- **Le stretching effectué à la fin d'un entraînement de sport de combat aura un rôle de relaxation. Il remplira alors le rôle de "retour au calme".**

Votre question : **pourquoi faut-il rester 6 à 10 secondes (parfois plus) sur une posture pour réellement s'assouplir ?**
Réponse : **tout simplement parce que, le muscle se rétractant tout d'abord par réflexe, il faut du temps pour le décontracter en l'allongeant.**
Le temps de pose varie suivant:
- les méthodes,
- le choix de l'exercice,
- le niveau du pratiquant,
- l'enseignant.
Dans le cas de notre étirement de fin de séance, le temps de pose de 5 secondes suffit.

Étirement

Afin de clore cette petite séance, étirez-vous en expirant lentement, 4 fois durant 5 secondes.

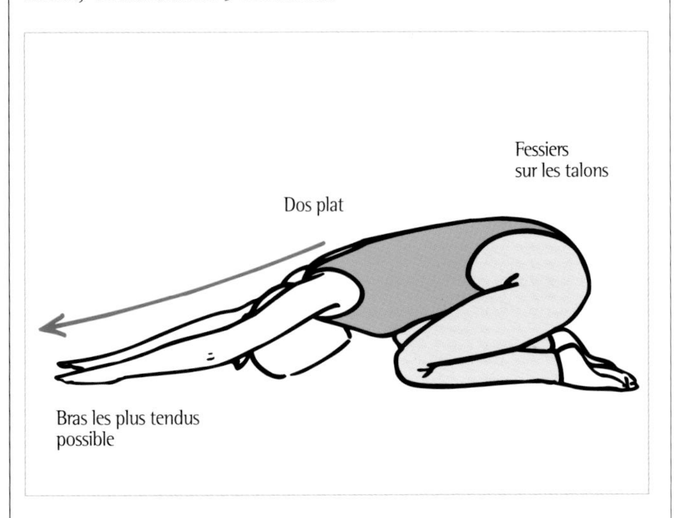

La pratique régulière du stretching (abordé dans le dernier chapitre de ce guide, p.115) permet une meilleure prise de conscience de la respiration et améliore le fonctionnement des muscles respiratoires. Il faut cependant savoir qu'en ce qui concerne la respiration lors de la pratique du stretching les avis divergent, comme pour les méthodes...

Il est important lors de la réalisation des postures:
- de se rendre compte de notre capacité à gonfler la cage thoracique sur l'inspiration ;
- de sentir la contraction abdominale sur l'expiration.

Quatre exercices à faire sur un rythme plus lent

Détail dans les pages suivantes

Exercice A

Si vous vous sentez l'âme paresseuse,
ce mouvement est pour vous !
Elévations de la jambe supérieure fléchie.
Réalisation minimum:
une dizaine d'élévations de chaque jambe.

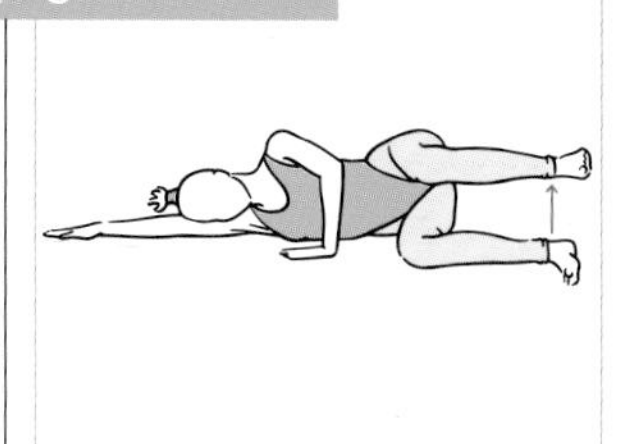

Exercice B

Bizarre, cet exercice ? Non !
Efficace !
Elévations de la jambe arrière fléchie.
Réalisation minimum:
une dizaine d'élévations de chaque jambe.

Exercice C

Ce n'est certes pas le plus esthétique, mais il est indispensable dans le cadre d'un entraînement spécifique sérieux !
Elévations latérales de la jambe fléchie.
Réalisation minimum:
une douzaine d'élévations de chaque jambe.

Exercice D

Et en plus, il fait travailler l'équilibre !
Elévations latérales de la jambe fléchie.
Réalisation minimum:
une douzaine d'élévations de chaque jambe.

Quatre exercices à faire sur un rythme plus lent

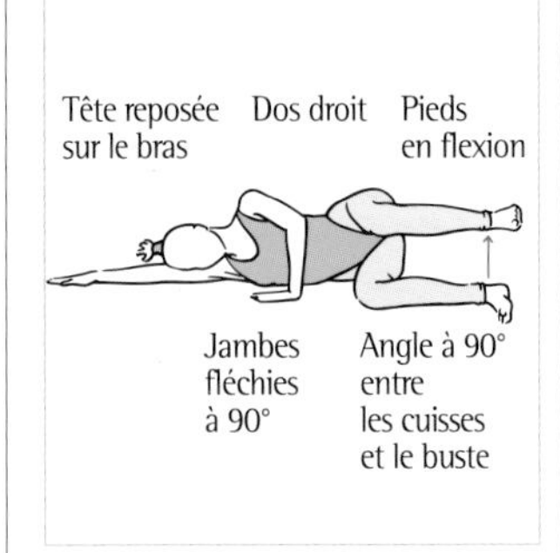

Le détail à ne pas oublier…
Conservez bien la position des jambes à 90°.
Comment respirer ?
Expirez sur l'élévation de la jambe.
Combien de fois faut-il répéter l'exercice ?
Si vous êtes débutante, faites une dizaine d'élévations avec chaque jambe.
Si vous êtes plus expérimentée, procédez ainsi: faites une dizaine de battements à votre rythme, suivie par une douzaine de battements à rythme lent, enchaînée par une quinzaine de battements à rythme rapide.
Ne faites pas…
Reposer la jambe active sur l'autre à chaque battement car cela "coupe" l'effort et, par conséquent, l'efficacité du mouvement.

Exercice A

La position allongée sur le côté vous assure un confort certain et ne transforme pas cet exercice en épreuve de torture.
Si vous souffrez d'une fragilité lombaire, vous pouvez faire ce mouvement en toute sécurité. Votre dos doit rester droit en permanence ; à la rigueur légèrement fléchi si vraiment vous vous sentez mieux ainsi.
Ce style d'exercice est souvent pratiqué en début de séance, car il tonifie les muscles en douceur et les prépare à des efforts soutenus en toute sécurité.
Vous pouvez aussi, si la position allongée ne vous convient pas, replier un avant-bras sur le sol pour prendre appui.

But de l'exercice

- Restructurer plutôt l'extérieur de la région fessière.

Comment le faire ?

Allongez-vous latéralement sur le sol, laissez reposer votre tête sur votre bras tendu dans le prolongement du corps. L'autre bras est replié devant le thorax. La paume est tournée vers le sol.
Etirez bien votre colonne vertébrale, afin qu'elle soit la plus droite possible.
Ramenez vos jambes à angle droit avec le corps. Fléchissez vos mollets de façon à les mettre perpendiculaires par rapport au derrière des cuisses. Vos pieds doivent être fléchis en permanence.
À partir de cette position, faites des battements de la jambe supérieure.
Vous pouvez vous aider avec la paume en appui sur le sol en le repoussant, si réellement cet exercice vous semble trop difficile.

Commencez en douceur par ce mouvement souvent recommandé aux personnes qui débutent.

Élévations de la jambe supérieure fléchie.
Réalisation minimum:
une dizaine d'élévations de chaque jambe en changeant de côté, bien sûr.

Quatre exercices à faire sur un rythme plus lent

Exercice B

Si vous fréquentez les cours collectifs de culture physique, vous avez sûrement pratiqué ce mouvement.
Il est très différent du précédent et le complète d'une façon très intéressante.
Si vous ne le connaissez pas, il peut vous paraître un peu étrange, mais sachez qu'il est très efficace. Préférez le faire de profil devant une glace, afin de vérifier en permanence la position de votre dos.

But de l'exercice

- Tonifier la majorité de la région fessière et tout particulièrement la partie haute.

Comment le faire ?

Placez-vous en position quadrupédique (à quatre pattes), veillez à conserver les jambes et les bras bien perpendiculaires par rapport au corps afin de ne pas être en déséquilibre.
Certaines pratiquantes placent leur tête dans leurs mains pour un meilleur confort de la nuque.
À partir de cette position, faites des élévations d'une des jambes fléchies à l'arrière en veillant à conserver un angle droit entre le mollet et le derrière de la cuisse.
Gardez le pied élévateur si possible en flexion. Si vous le pouvez, contractez vos muscles fessiers pendant toute la durée de l'action. Ne pratiquez pas cet exercice en dilettante : contrôlez-le au maximum.

Une position de départ sympathique... C'est réellement un des grands classiques pour restructurer les fessiers.

Elévations de la jambe arrière fléchie.
Réalisation minimum :
une dizaine d'élévations de chaque jambe.

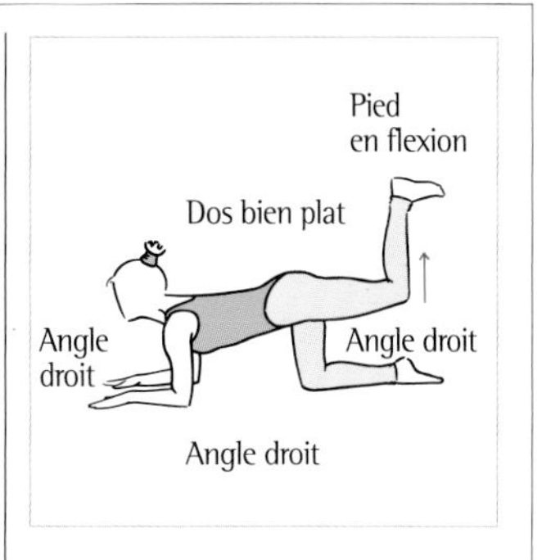

Le détail à ne pas oublier...
Conservez en permanence la jambe d'action dans l'axe de son articulation.

Comment respirer ?
Expirez sur chaque élévation de jambe ou une fois sur deux, suivant le rythme d'exécution adopté.

Combien de fois faut-il répéter l'exercice ?
Si vous êtes néophyte : faites une dizaine de répétitions de chaque jambe. Reposez-vous et recommencez.
Si vous êtes un peu plus entraînée, suivez cette méthode d'entraînement : avec la même jambe, faites une quinzaine de petites élévations à votre rythme. Reposez-vous. Pratiquez ensuite une douzaine d'élévations un peu plus grandes sur un rythme soutenu. Enchaînez par 8 grandes élévations sur un rythme lent.
Sur cette dernière série de mouvements, le genou doit frôler le sol à chaque fois.
Procédez de même avec l'autre jambe.

Ne faites pas...
Un déplacement du bassin à chaque mouvement de jambe. Il doit bien rester dans l'axe du corps.

Quatre exercices à faire sur un rythme plus lent

Le détail à ne pas oublier…

Pensez à conserver le corps le plus droit possible et à ne pas travailler en étant complètement déséquilibrée sur un côté.

Comment respirer ?

Expirez sur l'élévation de la jambe.

Combien de fois faut-il répéter l'exercice ?

Si vous êtes néophyte, faites une douzaine d'élévations de chaque jambe à votre rythme.
Si vous êtes plus entraînée, procédez ainsi: avec la même jambe, faites une dizaine de petites élévations à votre rythme, reposez-vous quelques secondes, puis pratiquez une vingtaine d'élévations de plus grande amplitude sur un rythme plus élevé, enchaînez par 10 mouvements les plus grands possible sur un rythme très lent. Faites la même chose avec l'autre jambe.

Ne faites pas…

L'exercice en prenant appui sur les mains au lieu des avant-bras. Cela crée un creusement néfaste au niveau lombaire.
C'est une erreur fréquemment constatée au sein des cours de culture physique.

Exercice C

À coup sûr… vous allez préférer faire cet exercice lorsque votre mari est absent…
Ce mouvement est cependant un classique du genre et peu de cours de culture physique ou "d'abdo-fessiers" ne l'intègrent pas. La position quadrupédique présente l'avantage d'être très sécurisante pour le dos. C'est pour cela qu'elle est très souvent utilisée. De plus, elle permet de nombreuses variantes.

But de l'exercice

- Il tonifie plutôt la partie extérieure des fessiers, et présente aussi l'extrême avantage de raffermir l'intérieur et l'extérieur des cuisses.

Comment le faire ?

À partir de la position quadrupédique (à quatre pattes), élevez une de vos jambes fléchies sur le côté en veillant à conserver le pied en flexion.
L'angle droit entre l'arrière de la cuisse et le mollet doit être constant durant toute la durée de l'exercice.
Ne reposez pas le genou sur le sol à chaque fois.
Comme pour l'exercice précédent, faites bien attention à avoir les jambes et les bras perpendiculaires par rapport au corps afin d'éviter tout déséquilibre.

Ce mouvement a été surnommé par ses adeptes "le petit chien". Certes, il n'est pas très esthétique, mais il sollicite des fibres musculaires qui sont peu utilisées dans la vie courante.

Élévations latérales de la jambe fléchie.

Réalisation minimum:
une douzaine d'élévations de chaque jambe.

Quatre exercices à faire sur un rythme plus lent

Exercice D

Difficile de rester ainsi en équilibre? Pas du tout ! Cet exercice est à la portée de toutes, même si au bout de cinq mouvements, on constate sa grande efficacité.
Il n'est absolument pas plus difficile que le précédent. Il est cependant nécessaire, pour le rentabiliser au maximum, de suivre à la lettre tous les conseils de placement.
On a en effet souvent tendance à positionner le bassin en arrière (et donc de pencher le buste vers l'avant). Ce qui entraîne une application plus facile mais… erronée.
Sachez cependant que si cet exercice est mal exécuté, les conséquences ne sont nullement dramatiques. En effet, l'erreur la plus constatée consiste à arrondir le dos afin de lever la jambe plus aisément.

But de l'exercice

- Restructurer plutôt les parties extérieure et basse de la région fessière.

Comment le faire ?

Mettez-vous à genoux jambes écartées. Prenez appui sur une de vos mains en la plaçant sur la même ligne que vos genoux, le dos se trouve ainsi en bonne position.
Posez ensuite l'autre main sur la taille en veillant à tirer votre épaule vers l'arrière.
À partir de cette position, pratiquez des élévations de la jambe fléchie à angle droit.
Si vous le pouvez, évitez de prendre appui sur le sol avec le genou à chaque battement.

Encore un classique ! Comme le précédent, il exerce l'intérieur et l'extérieur des cuisses.

Élévations latérales de la jambe fléchie.

Réalisation minimum:
une douzaine d'élévations de chaque jambe.

Le détail à ne pas oublier…
Redressez la tête durant toute la réalisation de l'exercice. Cela évite d'être ainsi déséquilibrée vers l'avant et d'arrondir le dos.

Comment respirer ?
Expirez sur l'élévation de la jambe.

Combien de fois faut-il répéter l'exercice ?
Si vous ne l'avez jamais fait: pratiquez une douzaine d'élévations de chaque jambe. Si vous connaissez cet exercice, procédez ainsi avec la même jambe: faites une dizaine de petits mouvements à votre rythme. Reposez-vous quelques secondes. Pratiquez une quinzaine de battements plus grands à un rythme plus soutenu. Enchaînez par une dizaine d'élévations très grandes réalisées le plus lentement possible. Avec l'entraînement, il est conseillé d'occulter la phase de repos pour un résultat optimal !

Ne faites pas…
Des battements trop vers l'arrière avec la jambe élévatrice. Cela enlève de l'efficacité au mouvement. Les deux genoux doivent toujours être dans le même alignement.

Quatre exercices à faire sur un rythme plus lent

Votre question: **que se passe-t-il lorsque l'on étire un muscle?**
Réponse: **à chaque étirement, le muscle réagit en se contractant par réflexe. Cette contraction peut être statique ou dynamique. Le stretching agit en favorisant la décontraction des fibres musculaires pour l'obtention d'un étirement optimal. Après l'expérience, cette contraction musculaire s'affaiblit et les progrès au niveau de l'étirement augmentent.**

N'oubliez jamais l'étirement ! C'est un facteur indispensable à tout entraînement de culture physique.

Etirement afin de soulager vos muscles fessiers et d'éviter d'éventuelles courbatures

Non, non ! Ce n'est pas fini… Maintenant vous avez tourné la page, il ne vous reste plus qu'à réaliser cet étirement.

Etirez, en expirant lentement, simultanément les deux bras et une jambe 3 fois durant 5 secondes. Procédez de même avec l'autre jambes.

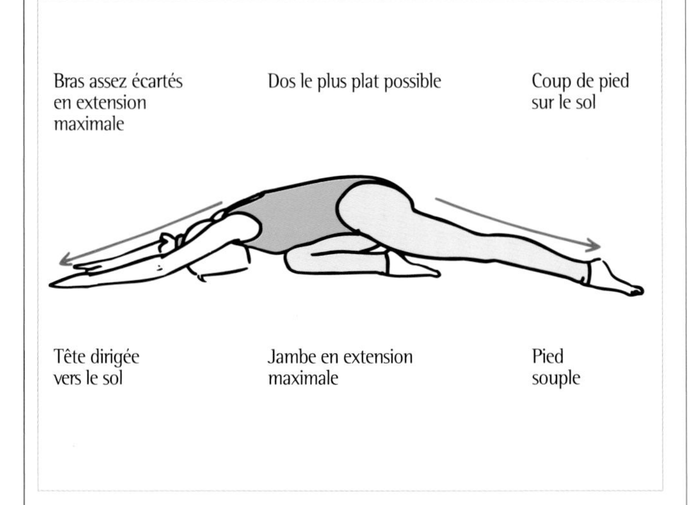

Le stretching améliore l'état des muscles, des articulations, des tendons, des ligaments mais aussi des tissus conjonctifs.

Il est recommandé aux personnes qui souffrent de crampes ou de fatigue chronique souvent dues à l'inactivité.
En améliorant fortement l'élasticité musculaire, il constitue un excellent moyen de prévention des foulures et même des déchirures musculaires.

Quatre exercices à faire sur un rythme plus lent

Toujours à propos de vos hanches, les trois questions que vous vous posez

Faut-il porter des lests (bracelets de plomb de 0,5 kg, en général) aux chevilles pour obtenir un résultat plus probant et plus rapide ?

Si vous êtes plutôt très mince mais avec un manque de fermeté évident de la région fessière: n'hésitez pas à porter des lests afin d'obtenir de jolis galbes. Dans un autre cas, ne le faites pas trop souvent en raison de la prise de volume musculaire que cela peut occasionner.

Y a-t-il une contre-indication à pratiquer les exercices décrits 20 minutes au lieu des 10 minutes par jour, si on est très motivée ?

Absolument aucune ! Il est exact que doubler les programmes journaliers ne pourra qu'accélérer la venue du résultat.

Que peut-on faire en complément de ces exercices pour obtenir plus vite satisfaction ?

Vous pouvez pratiquer tous les sports qui contribuent à l'élégance fessière, tels le jogging, la marche, l'escalade, le vélo, la danse, la natation…

Vous pouvez également vous faire masser (assez énergiquement) et pratiquer l'électro-stimulation (chez certains praticiens spécialisés et en milieu hospitalier) à l'aide de machines hyper-sophistiquées sous contrôle continu (mais attention: cela peut être parfois douloureux).

Abstenez-vous donc d'acheter les gadgets vantés par les publicitaires, vous risquez d'être très déçue !

Attention

Quelques points à retenir pour remodeler vraiment vos hanches (hormis la culture physique et l'hygiène alimentaire):

- **Éviter le port de vêtements serrés, car cela empêche la circulation sanguine.**
- **S'hydrater suffisamment entre les repas.**
- **Pratiquer le plus possible de massages ou auto-massages et, si vous le pouvez, des drainages lymphatiques.**
- **S'efforcer de monter les escaliers sur des rythmes différents.**

À savoir, en général

Lorsqu'on insiste sur les écarts de jambes, on tonifie et aide à l'élimination de la couche graisseuse (si on travaille rapidement) de l'extérieur des hanches et des cuisses.

Lorsqu'on insiste sur les rapprochements des jambes: on tonifie et aide à l'élimination de la couche graisseuse (si on travaille rapidement) de l'intérieur des cuisses.

Le dos

Le saviez-vous : les muscles de notre dos sont parmi ceux qui travaillent sans relâche. Il importe ainsi de les entretenir car ce sont eux qui soutiennent la colonne vertébrale.
Un dos atonique (sans vitalité, peu musclé) est automatiquement prédisposé à certains maux. De ce fait, beaucoup de personnes se plaignent de douleurs lombaires, par exemple, et elles pourraient simplement les minorer en pratiquant un minimum d'activité physique appropriée.
La musculature dorsale joue un des rôles les plus importants dans l'équilibre du corps ainsi qu'en ce qui concerne l'aptitude à l'effort physique.
Donc : entretenez-le !

Vous pouvez ainsi choisir entre trois solutions:

- soit la méthode de 4 exercices par jour ;
- soit pratiquer tous les jours un seul exercice différent puisé dans "À chacun son exercice". Cette solution est conseillée:
  - si vous manquez de temps,
  - s'il y a longtemps que vous n'avez pratiqué une activité physique ;
- soit constituer vous-même votre propre programme à l'aide de ce même chapitre.

Renforcez votre dos !

4 exercices à faire tous les jours pour tonifier et assouplir votre dos

▲ Pensez à étirer vos épaules vers l'arrière

▲ Tenez-vous droite le plus possible

▲ Accroupissez-vous, le dos à la verticale

▲ Tenez-vous bien en équilibre sur vos jambes

Ce chapitre a deux vocations: d'une part, vous faire prendre conscience de l'importance d'avoir un dos en parfait état ; d'autre part, vous éviter certaines erreurs qui, au fil des ans, risquent de créer certains traumatismes.

Généralités

Important

Si vous souffrez d'une fragilité dorsale et que vous pratiquez des exercices d'abdominaux pour le ventre : faites-les avec le dos entièrement appuyé sur le sol.

Si vous réalisez ceux pour la région stomacale : placez vos bras en "oreiller" (bras croisés derrière la nuque) afin d'éviter de tirer sur la nuque.

↓

Ne pas confondre : La moelle osseuse, substance molle et graisseuse, présente dans toutes les cavités du tissu osseux, avec la moelle épinière, centre nerveux situé dans le canal rachidien (canal formé par les vertèbres) assurant la transmission de l'influx nerveux entre le cerveau, les organes du tronc, les membres ainsi que certains réflexes.

Préserver son dos, c'est :

- Se tenir droit.
(Surtout en position assise !)
Pensez à bien tirer vos épaules vers l'arrière !
- S'étirer au maximum le plus souvent possible.
De préférence le soir ou après une activité physique comme le footing ou le tennis par exemple. (Il est essentiel d'assouplir sa colonne vertébrale afin d'enrayer les raideurs articulaires dues à l'âge même si l'on est encore jeune !)
- Pratiquer régulièrement une activité physique. (Développant de préférence symétriquement les muscles dorsaux.)
- Choisir (si vous êtes une femme) des chaussures avec des talons à hauteur modérée (de 3 à 5 cm).
À éviter : courir ou marcher rapidement sans chaussures.
- Se vêtir chaudement l'hiver et éviter les courants d'air.
- Toujours inclure des moments de repos réguliers ou quelques exercices d'étirement dans un long trajet en voiture ou à moto.

Parlons un peu anatomie...

Impossible de prendre de bonnes initiatives préventives sans avoir un minimum de connaissances anatomiques. Ces quelques pages incontournables vous permettront de mieux choisir vos activités sportives, et peut-être de modifier certaines habitudes gestuelles.
La principale vertèbre du corps est la cinquième lombaire. La région lombaire est celle qui est le plus souvent responsable des problèmes dorsaux (notamment au niveau de la cinquième lombaire). Les muscles du plan profond constitué par les muscles spinaux sont : le transversaire épineux, le long dorsal et le sacro-lombaire.

Les autres muscles jouant un rôle dans les mouvements de la colonne vertébrale se nomment les muscles para-vertébraux.

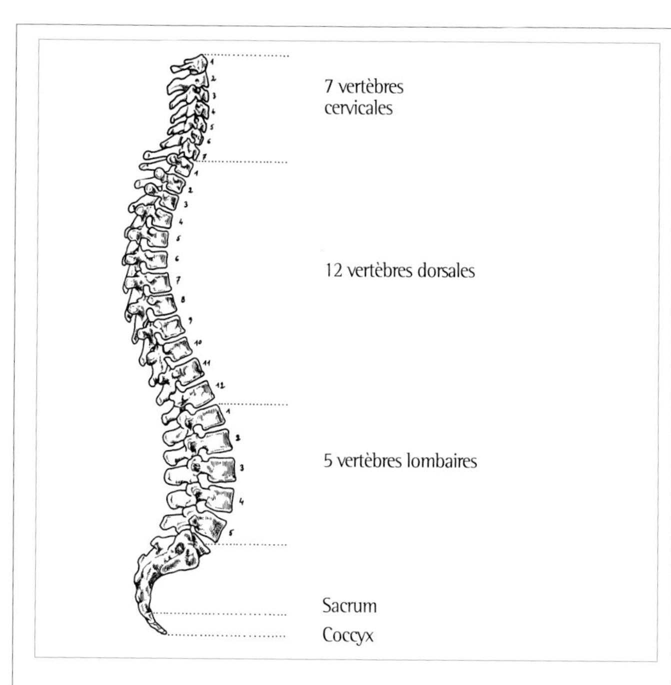

Ils comprennent:

- Les intertransversaires

Ce sont de tout petits muscles situés entre deux apophyses transverses. Ils permettent à la colonne vertébrale de s'incliner latéralement.

- Le carré des lombes

Il va de la crête iliaque (os du bassin) à la 12e côte et aux apophyses transverses des vertèbres lombaires. Il incline la colonne vertébrale ainsi que le bassin sur un même côté.

- Le psoas iliaque

Il comprend le psoas et l'iliaque.

Le psoas va du haut des disques intervertébraux de D12 à L5 sur les parties proches des corps vertébraux. Il va des zones fibreuses au-dessus des corps vertébraux, ainsi que sur les apophyses transverses des vertèbres lombaires.

L'iliaque s'étend de la fosse iliaque interne (centre d'un des os du bassin) au petit trochanter (tubérosité arrondie du fémur à l'union du col avec le corps).

Le psoas iliaque fléchit la cuisse sur le bassin et permet de réaliser un mouvement de rotation en dehors.

Quelle est la longueur de la colonne vertébrale ?

Environ 75 cm.

Combien de vertèbres constituent la colonne vertébrale ?

De 32 à 35.

Quelles sont les vertèbres soudées ?

Les cinq du sacrum et les quatre à six de la région coccygienne.

Quel est le nom de la première vertèbre cervicale ?

L'atlas.

Quel est le nom de la seconde vertèbre cervicale ?

L'axis.

À savoir

Qu'est-ce que les ligaments vertébraux communs antérieur et postérieur ?

Ce sont deux liens à texture fibreuse. Ils sont de part et d'autre de la colonne vertébrale. Ils s'insèrent sur la partie supérieure de l'occipital et sur le sacrum et le coccyx.

Généralités

Ces trois muscles sont extenseurs et inclinateurs de la colonne vertébrale.

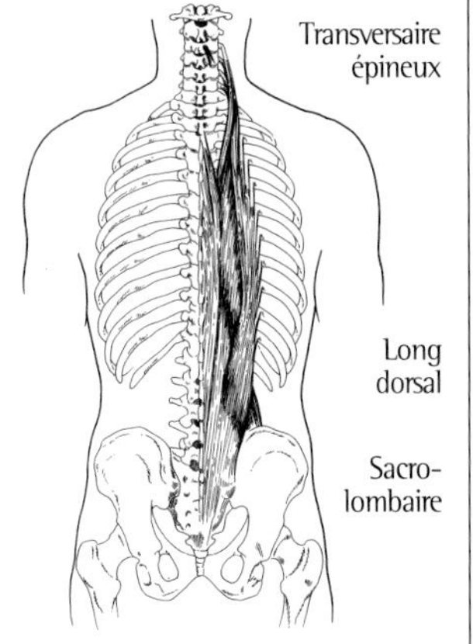

Pour gérer votre dos comprenez-le !

On distingue les muscles du plan superficiel ; les muscles du plan moyen, les muscles du plan profond.
En ce qui concerne les muscles rétro-vertébraux : ils forment un plan superficiel, un plan moyen et un plan profond. Les muscles du plan superficiel constitué par les muscles larges du dos sont :

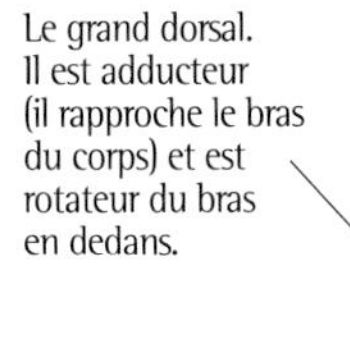

Le grand dorsal.
Il est adducteur (il rapproche le bras du corps) et est rotateur du bras en dedans.

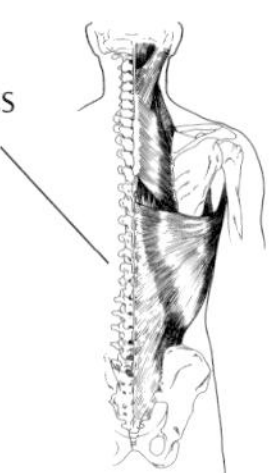

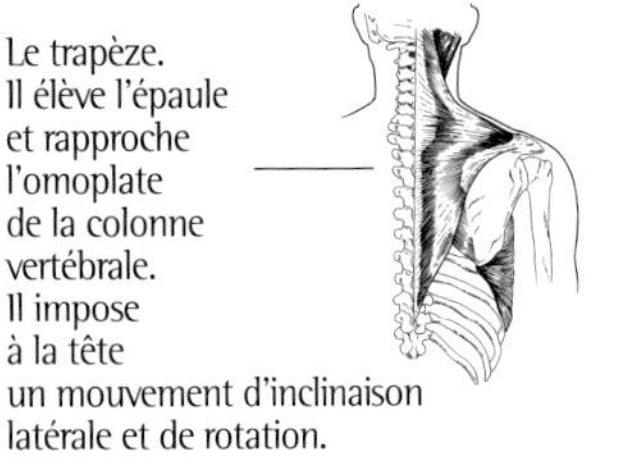

Le trapèze.
Il élève l'épaule et rapproche l'omoplate de la colonne vertébrale.
Il impose à la tête un mouvement d'inclinaison latérale et de rotation.

Les muscles du **plan moyen**, constitué par les muscles rétro-spinaux, sont:

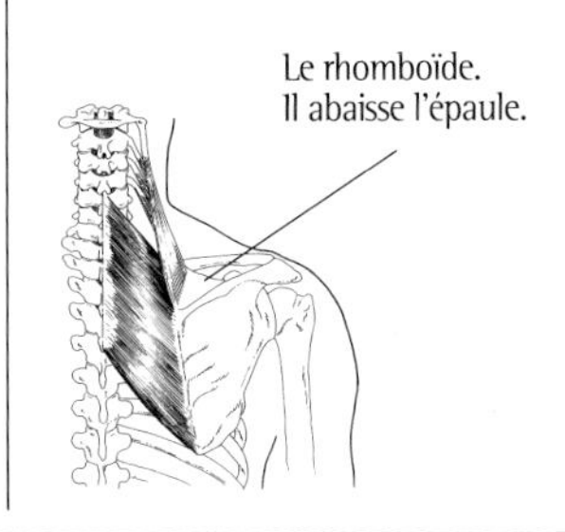

Le rhomboïde.
Il abaisse l'épaule.

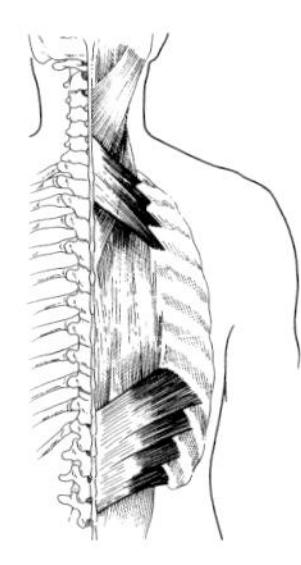

Le petit dentelé postérieur et supérieur, et le petit dentelé postérieur et inférieur.
Ils sont inspirateurs et expirateurs accessoires.

Qu'est-ce que le disque intervertébral ?

C'est une sorte de lentille biconvexe, fibro-cartilagineuse, qui occupe l'intervalle situé entre les corps vertébraux.

Chaque vertèbre est dotée également d'articulations apophyses postérieures, souvent sources de problèmes.

Voici comment s'articule votre colonne vertébrale lorsque vous bougez

Flexion avant

On constate la compression des disques intervertébraux.

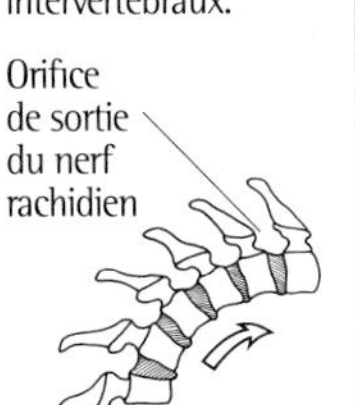

Flexions latérales

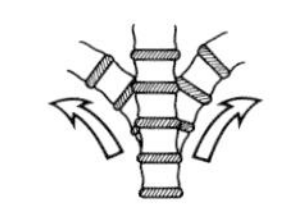

Flexion arrière

Elle est limitée par les apothyses épineuses qui se cognent aux extrémités.

Les déplacements des disques et noyaux lors de vos mouvements

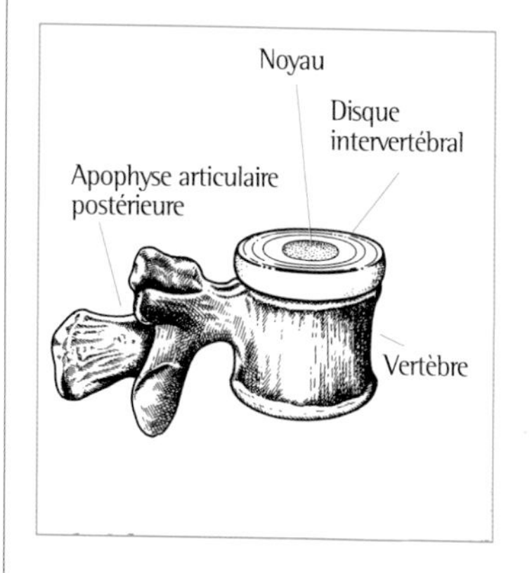

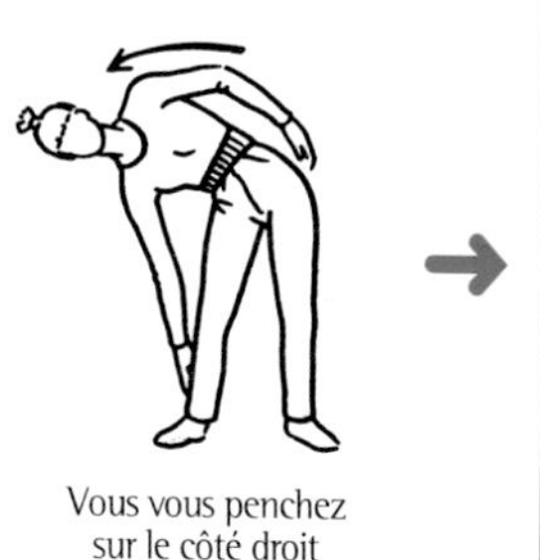

Vous vous penchez sur le côté droit

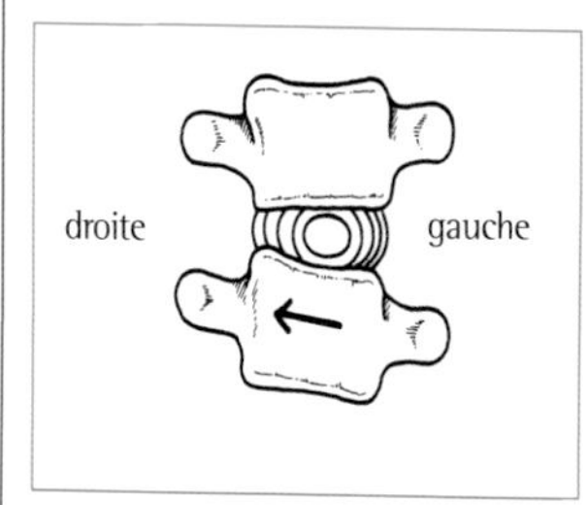

Vous vous penchez vers l'avant

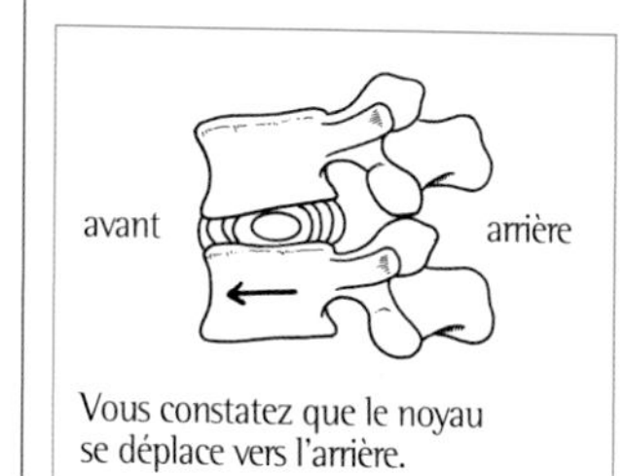

Vous constatez que le noyau se déplace vers l'arrière.

Aphophyse articulaire supérieure

Aphophyse articulaire inférieure

Ligament vertébral antérieur

Disque intervertébral

Apophyse transverse

Ligament vertébral postérieur

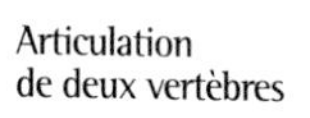

Articulation de deux vertèbres

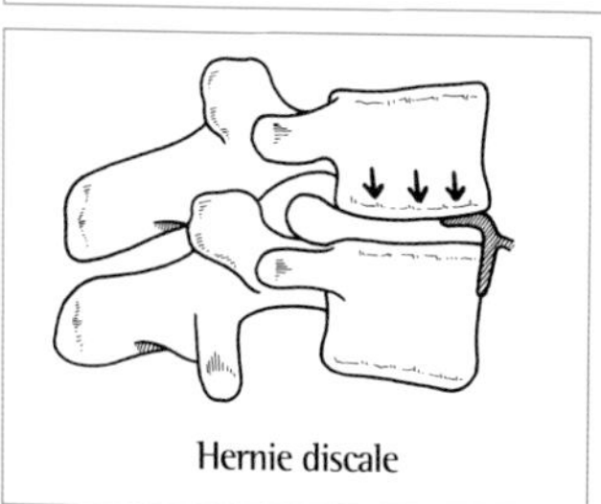

Hernie discale

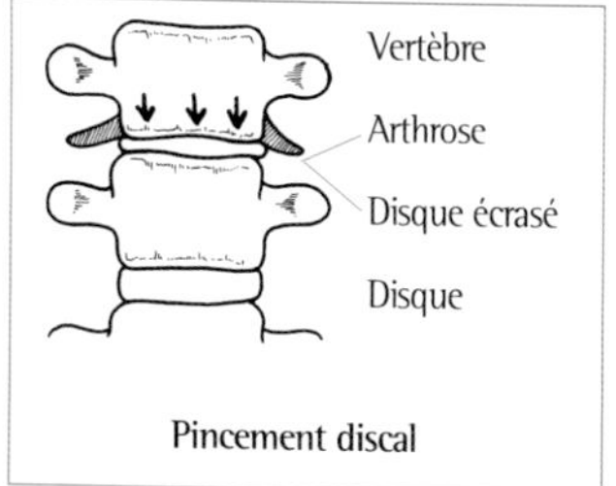

Pincement discal

Deux exemples de traumatismes vertébraux

Voici ce que peut être entre autres la fameuse hernie discale: le noyau pulpeux comprime le nerf sciatique et crée la hernie. À noter que c'est surtout au niveau des dernières lombaires (L4-L5) et (L5-SI) que se créent les conséquences des effets de soulèvement pouvant engendrer des lésions discales.

Les bonnes positions pour les bons gestes

Important
Gardez votre dos
bien droit
en serrant
le ventre.

S'asseoir

L'astuce:

Vous ressentez un malaise au niveau du rachis lombaire au bout d'un moment ? Étirez 3 fois ainsi votre colonne vertébrale au maximum durant 6 secondes en expirant par la bouche. Relâchez-vous complètement entre les postures.

Respectez ces trois préceptes:

- Asseyez-vous en écartant légèrement vos jambes.
- Répartissez le poids de votre corps sur vos jambes en vous plaçant bien au fond de votre siège.
- Tirez vos épaules vers l'arrière.

À éviter:

- s'asseoir avec brutalité.
- mettre la tête vers l'arrière.
- croiser les jambes.
- les fauteuils où l'on s'enfonce désespérément.
- les tabourets inconfortables (sauf si vous vous entraînez à rester droit sans appui...).
- conduire sans arrêt durant quatre heures ou plus.

Important
Pensez
à relâcher
complètement
vos épaules.

Rester debout longtemps

L'astuce:

Afin de soulager cette position inconfortable, faites 3 ou 4 avancées lentes de bassin en expirant par la bouche tous les quarts d'heure. Rassurez-vous: c'est discret !

Avant tout: répartissez bien le poids de votre corps sur vos pieds, en vous tenant droit.

Si vous le pouvez: décontractez vos jambes tout en serrant le ventre et les fessiers (verrouillez ainsi votre bassin, pour effacer tout mouvement de cambrure).

À éviter:

- creuser les reins ! Pour cela, maintenez légèrement votre bassin vers l'avant en permanence.

Les bonnes positions pour les bons gestes

Monter les escaliers

L'astuce:
Faites 3 ou 4 petites extensions lentes sur les orteils toutes les quarante marches, si vous devez monter un grand escalier !

Faites-le en restant le plus droit possible.
• Adoptez un rythme de progression lent et constant.

À éviter absolument:
- être courbé en deux.
- monter les marches quatre à quatre avec brusquerie.

Expirez lentement et régulièrement par la bouche si vous avez à monter un long escalier.

Soulever une charge

L'astuce:
Détendez votre dos avant et après l'effort en poussant votre bassin vers l'avant pendant une minute et en expirant par la bouche.

En priorité:
-placez bien vos pieds par rapport à la charge.
-écartez-les de la largeur de votre bassin afin de bien les positionner.

N'oubliez pas:
Placez vos pieds par rapport au centre de gravité de la charge.
• Placez la charge le plus près possible de votre corps.
• Maintenez votre dos bien à plat.
• Effectuez le soulèvement et les déplacements à l'aide des jambes, et non du dos.

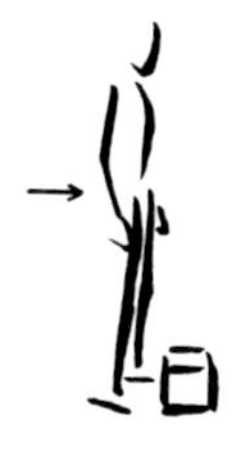

Gardez le dos plat et les jambes fléchies et écartées.

Pour porter votre fardeau si vous êtes droitier: placez votre pied droit légèrement en retrait. Vos pieds doivent être ouverts vers l'extérieur.

Les bonnes positions pour les bons gestes

L'idéal : le siège multiréglable à roulettes.

Travailler devant l'ordinateur

L'astuce :
Décontractez-vous toutes les demi-heures en étirant doucement vos épaules vers l'arrière 6 fois !

Avant tout : ayez un siège réglable notamment au niveau de l'appui.
Calez votre dos bien au fond de votre siège, afin de l'avoir bien droit.
Pensez à décontracter vos jambes.
Ne penchez pas trop votre corps sur le côté : préférez utiliser les roulettes de votre siège.

Nota : pour votre confort :
- Pensez à utiliser un petit rehausseur de pied sous votre bureau.
- Réglez bien la hauteur de votre plan de travail, afin de conserver le dos droit.

Votre dos doit être légèrement penché vers l'avant afin de bien vous détendre.

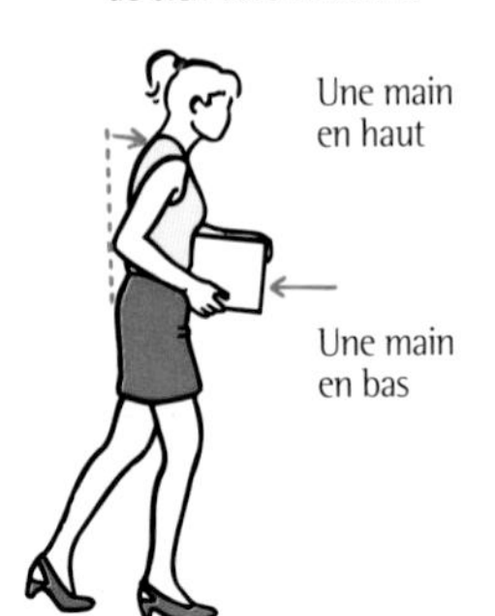

Porter une charge

L'astuce :
Après l'effort : relâchez complètement 3 fois votre dos après cet effort jusqu'au niveau des genoux pendant 8 secondes en expirant par la bouche. Puis redressez-vous lentement.

• Plaquez la charge contre vous en l'entourant de vos bras.
• Avancez ensuite à pas réguliers.

À éviter absolument
les rotations en portant un paquet lourd.
Il ne faut pas oublier non plus que si vous soulevez une charge de 30 kg dans une bonne position, elle devient de 220 kg dans une posture erronée. Cela peut créer une lombalgie, notamment sur les deux derniers disques lombaires ainsi que sur les articulations inter-apophysaires (excroissance des vertèbres).

Les bonnes positions pour les bons gestes

Pousser un objet lourd (un meuble par exemple)

L'astuce:

Effort très difficile à supporter pour le dos. Il importe donc de le relaxer en cours d'effort avec cette technique. Debout, relâchez très lentement et successivement:
- votre cou vers l'avant,
- vos épaules,
- vos bras,
- et le dos

pendant 6 secondes en expirant lentement par la bouche.

Faites-le 2 fois minimum.

- Il importe d'utiliser toute la puissance de votre corps.
- N'oubliez pas de pousser sur vos jambes.
- Equilibrez l'emplacement de vos mains.

Important: gardez le dos plat.
Ne cambrez surtout pas !

Tirer un objet de poids important

Une chose est certaine: c'est la situation à éviter ! Surtout si vous devez tirer avec un seul bras.

L'astuce:

Décontractez vos épaules avec ce petit mouvement en cours d'effort: ramenez doucement vos épaules vers l'avant en expirant par la bouche. Ramenez-les ensuite en position initiale en expirant par le nez. À répéter au moins 5 fois.

Que penser du caddy ?

Contrairement aux idées reçues, le caddy ne constitue pas la solution miracle. En effet, la position engendrée créée des torsions et donc des tensions dorsales à répétition.
Cependant, il est toujours préférable de pousser que de tirer.
Et que penser des valises à roulettes ?
Elles sont bien sûr préférables aux valises classiques. Si vous en tirez une dans chaque main, les effets négatifs de l'effort seront moindres.

Une chose est certaine : c'est la situation à éviter ! Surtout si vous devez tirer avec un seul bras...

Les bonnes positions pour les bons gestes

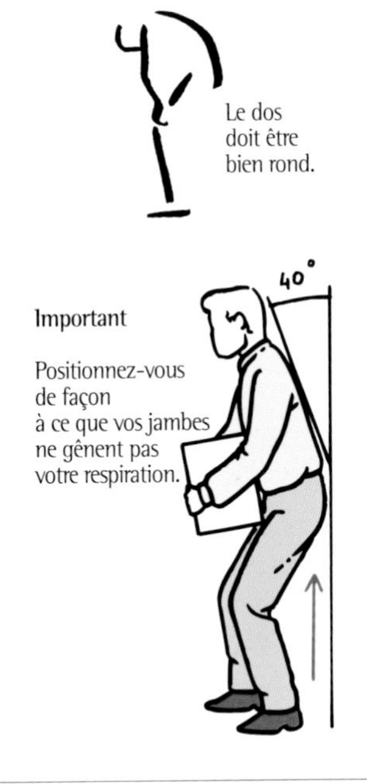

Ramasser un objet

L'astuce:
Si vous n'avez pas suivi le conseil de ce guide et que vous vous êtes mal accroupi, soulagez votre dos endolori avec cette technique: mettez vos mains sur vos genoux et faites 3 fois le dos rond très lentement en expirant par la bouche.

Accroupissez-vous lentement avec un pied en avant.
Votre dos doit toujours être droit et vos muscles abdominaux contractés.

À noter:
Les kinésithérapeutes conseillent de se mettre plutôt à genoux si cette posture doit être maintenue un certain moment. La position du cavalier (un genou au sol, l'autre plié, une main sur le genou) est également très confortable.

À éviter:
Fléchir le corps en plaçant vos hanches vers l'arrière.

Important

Bougez
le moins possible
vos jambes pour
vous relever.
Ce sont elles
qui vont vous
propulser !

Se relever

L'astuce:
Malheureusement, vous vous êtes mal relevé. Retrouvez votre confort dorsal avec ce petit mouvement: adossez-vous à un mur et plaquez vos reins contre lui pendant 6 secondes en expirant par la bouche.
Mettez une de vos jambes en avant afin de bien stabiliser votre position. Vos genoux doivent être bien pliés et votre dos légèrement penché vers l'avant.

**Quelle est l'origine la plus courante des douleurs dorsales ?
L'origine mécanique !**
Elle représente presque 90% de l'ensemble des douleurs. La plupart du temps, celles-ci sont dues à des tensions musculaires souvent liées au stress.
A savoir: les troubles de la statique vertébrale peuvent être produits par un déséquilibre des voûtes plantaires. Dans ce cas, il se crée des tensions diverses sur le rachis, la région lombaire, le bassin…

Les bonnes positions pour les bons gestes

Porter les valises

Vous n'avez pas de valises à roulettes, et vous avez à faire un quart d'heure de marche à pied… Accordez-vous un instant de répit (posez les valises) pour doucement pousser 5 ou 6 fois votre bassin vers l'avant, en expirant par la bouche très lentement, pour soulager le bas de votre dos.

L'astuce:

Vous pouvez faire 6 rotations d'épaules lentement vers l'avant puis vers l'arrière dès que la fatigue devient trop intense.

Équilibrez bien vos charges de chaque côté, si vos bagages ne disposent pas de roulettes.

Posez-les régulièrement toutes les cinq minutes en même temps.

Si vous avez un bagage supplémentaire: portez-le si possible dans le dos (si c'est un sac à dos, préférez-le avec une sangle devant).

Marchez lentement sans accélération.

Important

Mettez bien vos bras sur les côtés et non un peu vers l'avant.

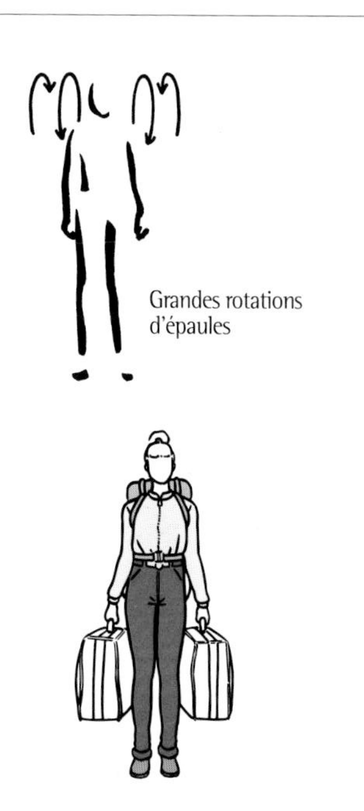

Faire son lit

L'astuce:

Pour vous détendre en faisant votre ménage, toutes les 20 minutes, en position debout: grandissez-vous 6 fois en extension sur la pointe des pieds.

- Pliez vos jambes et gardez votre dos bien plat lorsque vous vous baissez.
- Conservez vos jambes suffisamment écartées pour ne pas être déséquilibré.

Important

Pensez à travailler face au lit.

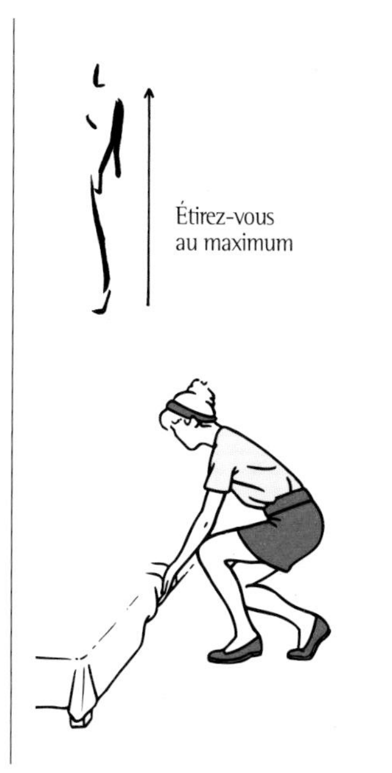

Les bonnes positions pour les bons gestes

Passer l'aspirateur

Impossible d'occulter cette fastidieuse séance du passage de l'aspirateur ! Alors, autant se faire une raison et la réaliser sans s'abîmer le dos. Avant tout, il convient de respecter un précepte qui est également valable pour l'ensemble des activités ménagères: faire le moins de rotations possible !

L'astuce:
Décontractez-vous toutes les demi-heures en pratiquant 8 rotations d'épaules vers l'avant, puis 8 vers l'arrière.

- Essayez d'être le plus souvent en équilibre sur vos jambes.
- Tenez et poussez votre appareil avec les deux mains.
- Une jambe doit être fléchie, l'autre tendue.
- Faites avancer votre aspirateur sans à-coup.
- Laissez-le en permanence sur le sol: évitez de le soulever de temps à autre.

Repasser

L'astuce:
Bras et dos étant très sollicités, pratiquez pour vous relaxer cet exercice dès que vous en ressentez le besoin. Étirez 3 fois votre tête vers le haut tout en tirant vos bras tendus à l'arrière.
Expirez par la bouche pendant 6 secondes.

L'idéal pour repasser: être assis sur un siège pivotant !

Le repassage est une activité qui oblige à des rotations du buste, ce qui engendre un pourcentage de traumatismes assez important. Donc: soyez vigilant !

Les bonnes positions pour les bons gestes

S'habiller

C'est vraiment le moment de la journée où nous infligeons à notre corps des positions pour le moins étranges. Pour le vérifier: il suffit de regarder un homme en train de mettre ses chaussettes…

Enfiler une chemise

Gardez vos bras plus ou moins parallèles au sol.
Évitez par exemple de les élever brutalement vers le haut, ou d'enfiler les deux manches en même temps.

Enfiler ses chaussettes ou mettre ses chaussures

Asseyez-vous !
Conservez le dos le plus droit possible.Préférez lever la jambe plutôt que de fléchir le dos (si vous le pouvez…)

Mettre un pantalon

Asseyez-vous !
Cette méthode en deux phases permet de gagner du temps, contrairement à ce que l'on croit.

Mettre des bretelles

Commencez par accrocher les attaches de devant avant celles de derrière, si vous avez déjà enfilé le vêtement.
Le mieux est, bien entendu, de mettre le vêtement avec les bretelles déjà attachées et de passer celles-ci par les côtés.

S'allonger

En position assise: étirez doucement chacune de vos jambes devant vous en expirant par la bouche.
Faites-le au moins 3 fois pour chaque jambe.

Puis:
2. Placez vos jambes fléchies sur le lit.
3. Mettez-vous sur le côté.
4. Allongez-vous en douceur.

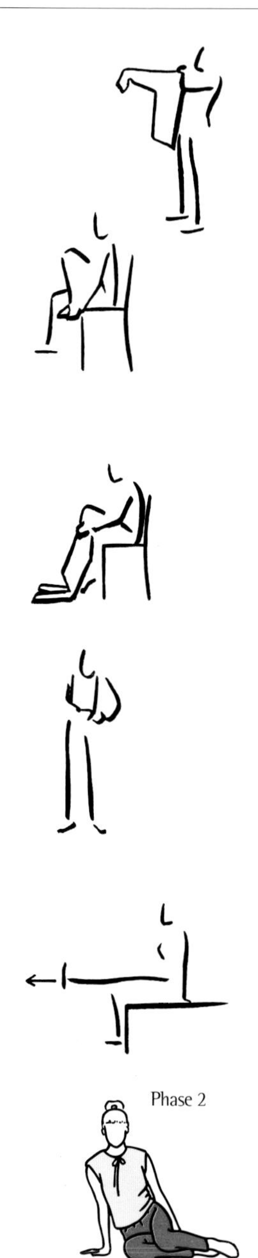

En résumé...

Infos

Comment soulager les douleurs d'arthrose ?
- En priorité : ne pas solliciter les articulations atteintes.
- Eviter les courants d'air et l'humidité.
- Prendre des anti-inflammatoires.
- En ce qui concerne l'arthrose cervicale, il est recommandé de porter le plus souvent possible un collier en mousse.

Quelles recommandations peut-on donner en cas de lumbago ?

(Affection douloureuse au niveau des lombaires due à un effort de soulèvement sollicitant le rachis lombaire)
Avant tout : s'allonger le plus souvent possible après avoir pris un bain.
- Porter ensuite une ceinture de maintien.
- Prendre les médicaments prescrits par le médecin.

À savoir

La stimulation du nerf peut déclencher une douleur à distance au niveau vertébral. Une infection ORL peut exceptionnellement occasionner des douleurs au niveau cervical et lombaire, ainsi qu'un problème gynécologique ou rénal.

En résumé...

Repasser, passer l'aspirateur, laver les vitres...
Toutes ces activités sont les premières causes du mal de dos.
La principale raison en est souvent la mauvaise conception des objets usuels, leur esthétisme étant devenu actuellement plus important que la pratique.
La mauvaise adaptation des objets engendre la répétition de gestes traumatisants pour les disques vertébraux. On peut toutefois corriger cela en pratiquant les bons gestes.

Monter sur une chaise pour laver les vitres : pas de bras longtemps en élévation !

En règle générale pour faire le ménage : se pencher le moins possible en avant !

Pas de brusques flexions avant en faisant sa toilette et... évitez de vous pencher en vous brossant les dents !

Sortir du lit en roulant sur le bord et s'asseoir, prendre appui sur les jambes pour sortir !

Tournez la tête lentement et non brusquement pour vaquer à vos occupations !

Il existe de nombreuses formes de douleurs dorsales :

Il peut y avoir de grandes douleurs occasionnées par des ruptures de disques intervertébraux ou par des compressions de nerfs, par exemple.
Parfois aussi, ce sont de simples irritations nerveuses ou de toutes petites entorses des articulations postérieures vertébrales qui créent une zone sensible.

Quatre exercices par jour pour la santé de votre dos

En 10 minutes par jour maximum

Ces exercices spécifiques d'étirement et de tonicité vous sont proposés en alternance pour l'acquisition d'une souplesse dorsale et d'une musculature de qualité.
Leur pratique régulière peut assurer à long terme une prévention de nombreux maux vertébraux et une diminution de certaines douleurs spécifiques.

Important:
ces exercices s'adressent à des personnes en bonne santé.

Description des exercices dans les pages suivantes

Exercice A

Assouplir

Étirez les muscles latéraux de votre dos.
Faites une trentaine de flexions alternées minimum.

Exercice B

Tonifier

Musclez-vous rapidement avec ce mouvement très connu.
Faites 25 élévations minimum des bras.

Exercice C

Assouplir

Étirez, étirez... les muscles de votre dos, mais aussi ceux de vos jambes !
Faites 4 étirements minimum.

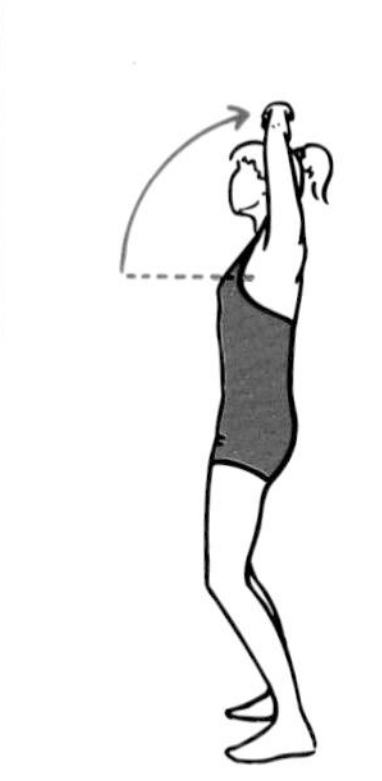

Exercice D

Tonifier

Tonifiez et assouplissez le haut de votre dos.
Faites 20 élévations minimum des bras fléchis.
Faites 4 étirements minimum.

Quatre exercices par jour pour la santé de votre dos

Exercice A

Important: fléchissez bien le buste dans l'axe des hanches: ne le penchez pas en avant. Travaillez lentement.

Description: debout, réalisez des flexions latérales du buste à gauche et à droite en expirant lentement par la bouche.
Inspirez par le nez lorsque le corps revient à la verticale.

Répétitions: faites une trentaine de flexions alternées.

Bienfaits: cet exercice permet un étirement maximal latéral (surtout si les épaules sont placées suffisamment vers l'arrière).
Il est parfois recommandé dans le cas d'inconfort des zones intercostales.

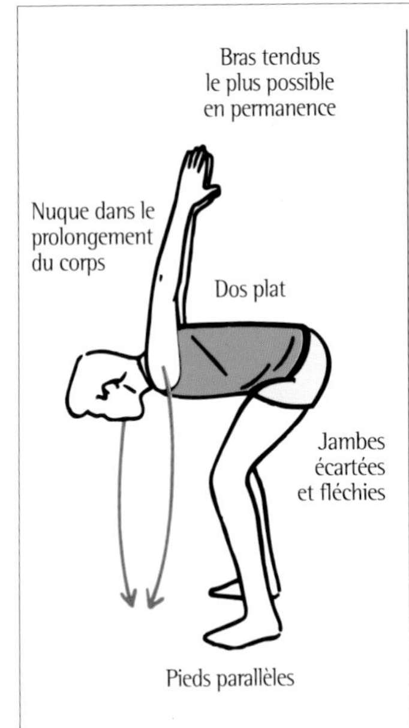

Exercice B

Important: les bras doivent s'élever à la perpendiculaire et non vers l'arrière.
Veillez à conserver un rythme constant de travail.

Description: debout, fléchissez votre buste vers l'avant.
Phase 1: touchez vos mains sous votre corps.
Phase 2: élevez vos bras le plus haut possible.
(Pratiquez les phases 1 et 2 en alternance.)
Expirez par la bouche lorsque vos mains se trouvent sous votre corps.
Inspirez par le nez lorsque vos bras s'élèvent.

Répétitions: faites 25 élévations minimum de bras.

Bienfaits: sa vocation première est de muscler en finesse le haut et le milieu du dos.

Quatre exercices par jour pour la santé de votre dos

Exercice C

Important: ne procédez pas par à-coup: étirez-vous avec une lenteur extrême et progressive.

Description: debout, fléchissez le buste vers l'avant et étirez vos bras devant vous le plus loin possible durant 6 secondes, sans décoller vos talons et en tirant en même temps les hanches vers l'arrière.
Expirez lentement par la bouche pendant cette dernière phase d'exercice.
Inspirez par le nez en relâchant complètement votre corps vers l'avant pendant 6 secondes également.

Répétitions: faites 4 étirements minimum. Relevez-vous extrêmement lentement entre chaque posture, jambes fléchies, dos arrondi.

Bienfaits: il étire l'ensemble du dos, même si l'on ressent plutôt l'étirement au niveau des épaules et des omoplates.

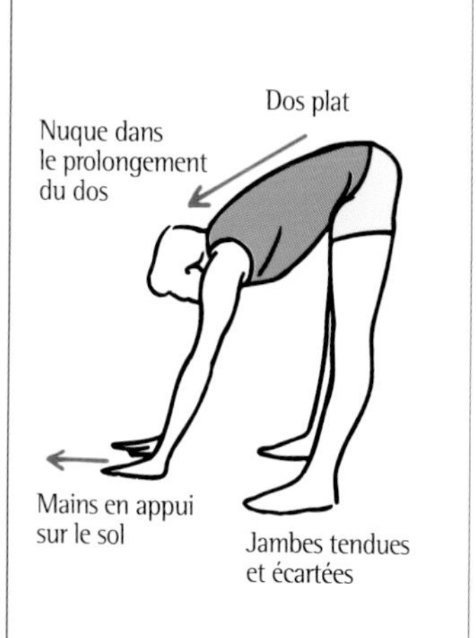

Exercice D

Important: il est essentiel de garder un rythme constant pour réaliser cet exercice. Ne faites surtout pas de gestes violents. Veillez à étirer au maximum vos bras vers l'arrière.

Description: debout, élevez vos bras fléchis de la parallèle au sol à la verticale en expirant par la bouche.
Inspirez par le nez en les redescendant.

Répétitions: faites 20 élévations au minimum.

Bienfaits: en sus d'assouplir les épaules, d'étirer les muscles de la poitrine, il renforce aussi les muscles du haut du dos.

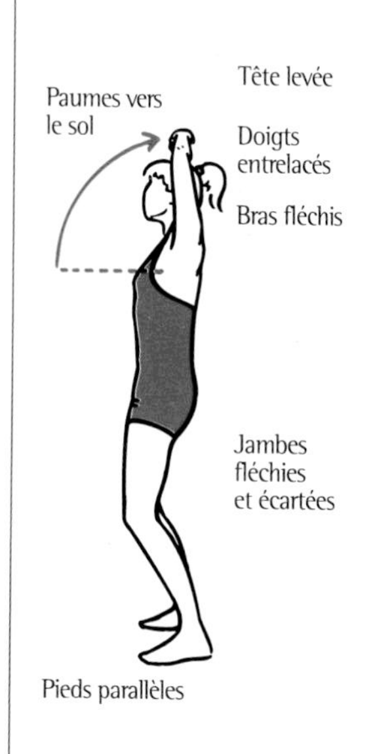

Cinq exercices leaders pour soulager les tensions dorsales

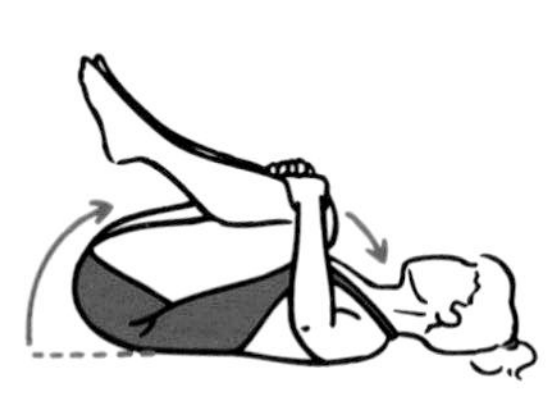

Exercice A

Pour un meilleur confort du dos

Description: allongé sur le dos: ramenez lentement en expirant par la bouche les genoux vers la poitrine.
Décontractez-vous 2 ou 3 secondes en inspirant par le nez tout en ramenant doucement le bassin sur le sol.
Recommencez.
Répétitions: faites 6 ramenés de genoux vers la poitrine minimum.
La tête doit être en repos sur le sol en permanence.
Travaillez lentement.

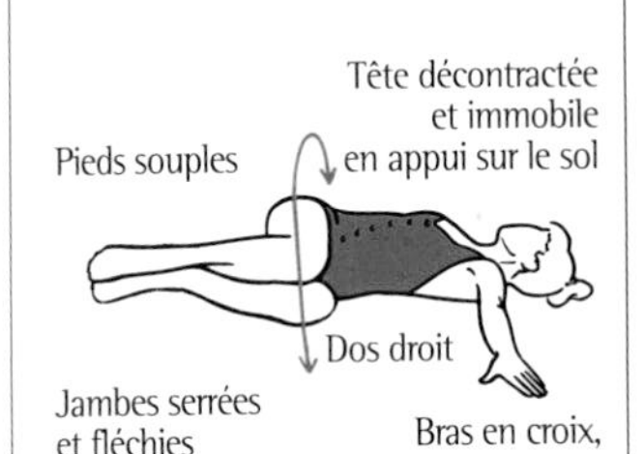

Exercice B

Pour décontracter le bas du dos et la taille

Description: en position allongée: faites passer lentement les jambes de gauche à droite sur le sol.
Maintenez chaque posture sur le côté pendant 6 secondes en expirant lentement par la bouche. Inspirez par le nez en faisant passer les jambes de l'autre côté.
Répétitions: ramenez 6 fois au minimum en alternance les jambes sur le côté.
Les épaules restent en permanence sur le sol.
Travaillez lentement.

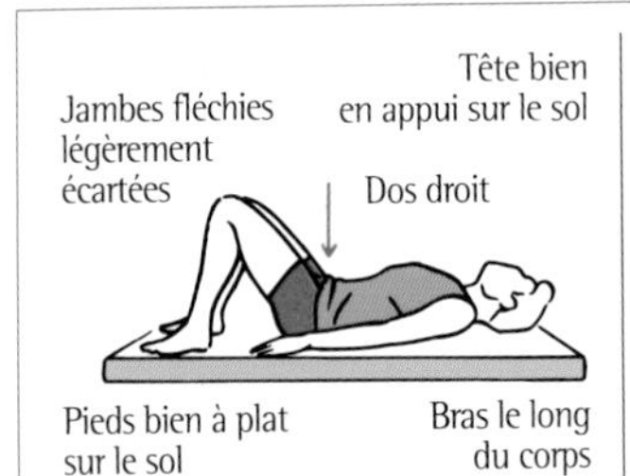

Exercice C

Pour renforcer les muscles lombaires

Description: allongé, appuyez progressivement et fortement vos reins contre le sol pendant 6 secondes en expirant lentement par la bouche. Décontractez-vous complètement en inspirant par le nez pendant 8 secondes.
Répétitions: faites 6 appuis minimum.
Cet exercice permet également d'avoir une perceptibilité accrue de cette région du corps.
Travaillez lentement.

Cinq exercices leaders pour soulager les tensions dorsales

Exercice D
Pour un réel bien-être de la région lombaire

Description : allongé sur le dos : faites basculer progressivement votre bassin vers l'avant pendant 5 secondes en inspirant par le nez puis reposez-le doucement sur le sol durant 6 secondes également en expirant par la bouche.
Répétitions : faites 6 mouvements complets minimum.
Nota : cet exercice est excellent pour apprendre à contrôler le bassin.
Au fur et à mesure de votre expérience : augmentez l'amplitude d'élévation de votre bassin et appuyez ensuite plus fortement sur le sol en le reposant.
Travaillez lentement.
Toute la région lombaire est en contact avec le sol.

Quel est le rôle du masseur kinésithérapeute ?
Il est exécutant de la prescription médicale.
(À noter qu'il n'est pas habilité à pratiquer des manipulations vertébrales importantes.)

Phase 1 :
élévation du bassin

Phase 2 :
repos du bassin au sol

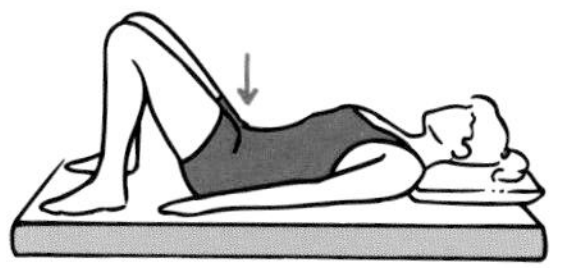

Exercice E
Pour relaxer la région lombaire

Description : en position quadrupédique (à quatre pattes), creusez doucement (durant 5 secondes) les reins en inspirant par le nez, puis, doucement, arrondissez (durant 6 secondes) votre dos au maximum en expirant par la bouche.
Répétitions : faites 6 mouvements complets minimum.
Nota : cette technique permet parfois de localiser avec plus d'exactitude la région contractée.
Ne forcez pas sur cette phase de la technique. Soyez relativement décontracté. Travaillez lentement. Phase 2 : veillez à arrondir le dos dans sa totalité et non partiellement.

Quel est le rôle du naturopathe ?
Il est censé soigner par des moyens naturels la plupart des maladies. Cette pratique ne nécessite aucune base préalable particulière. Le naturopathe est en général diplômé d'école ou d'université. Il n'a aucune reconnaissance officielle et n'est pas médecin.

Phase 1 :
léger creux progressif du dos

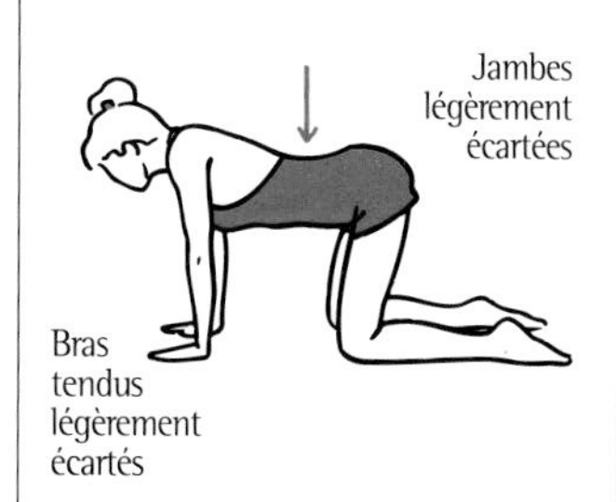

Phase 2 : arrondi dorsal

Nuque dans le prolongement du corps

À chacun son exercice !

Infos

Quel est le rôle du médecin ostéopathe ?

**Il faut savoir que cette pratique n'est pas reconnue en France. Elle consiste en des manipulations vertébrales visant à traiter diverses maladies.
Le médecin ostéopathe est souvent un généraliste ayant effectué un stage d'un an ou deux en France, aux États-Unis ou en Grande-Bretagne.**

Quel est le rôle exact du médecin spécialiste en rééducation ?

**Il peut pratiquer des manipulations et soigne les cas de handicaps à la suite d'accidents, de fractures, d'affections vertébrales.
Il suit également les rééducations respiratoires et cardio-vasculaires.
Comme pour le rhumatologue, le médecin-rééducateur se spécialise durant trois ans ou fait quatre années d'internat après ses études de médecine.**

À chacun son exercice !

Vous pouvez, à partir des exercices qui vous sont proposés dans les pages suivantes, constituer vous-même votre programme journalier.

La plupart d'entre nous ressentent à un moment donné une sensation de tiraillement, de sensibilité ou de fragilité dorsale.
Il est donc essentiel que vous connaissiez l'exercice qui vous détendra réellement.
Dans ce but, des techniques spécifiques vous sont proposées.

Important: ce ne sont pas des mouvements médicaux, simplement des exercices connus pour leur action bénéfique sur l'ensemble de la région vertébrale et leur rôle préventif.
À noter cependant que certains sont couramment recommandés par les kinésithérapeutes.
À l'instar de la méthode des 4 exercices au quotidien qui vous est proposée dans ce guide: ne vous contentez pas, par exemple, de choisir uniquement les exercices qui assouplissent en occultant ceux qui tonifient.
Notre corps a besoin des deux !

Ainsi, en testant chaque jour un exercice, vous mettez en action, et différemment, le maximum de fibres musculaires.

Quels sont les examens généralement pratiqués pour le dos ?
Pour les classiques:
- les radios.
Pour les situations plus complexes:
- le scanner,
- l'I.R.M. (imagerie par résonance magnétique). Ce dernier s'applique plus aux cas particuliers marquants.

À chacun son exercice !

Exercice 1

Pour bien contrôler son bassin

Description:

Allongé sur le dos: faites basculer progressivement votre bassin vers l'avant pendant 5 secondes en inspirant par le nez et en étirant vos jambes. Redescendez-le doucement en l'appuyant lourdement sur le sol durant 8 secondes, en expirant par la bouche.
Gardez vos jambes en extension.

Répétitions:

Faites 5 mouvements complets minimum.
Nota: cet exercice assouplit et relaxe le bas du dos et permet également d'étirer les muscles fléchisseurs des cuisses.
Concentrez-vous bien sur le mouvement du bassin: ne bougez pas le reste du corps.
Si vos jambes se fléchissent un peu sur la seconde phase du mouvement: n'en tenez pas compte !

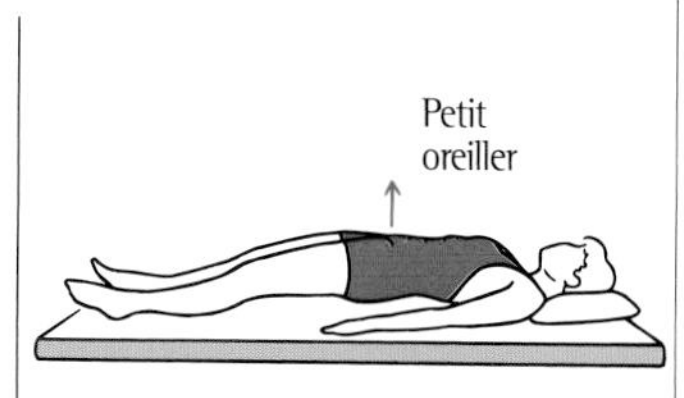

Phase 1: élévation du bassin

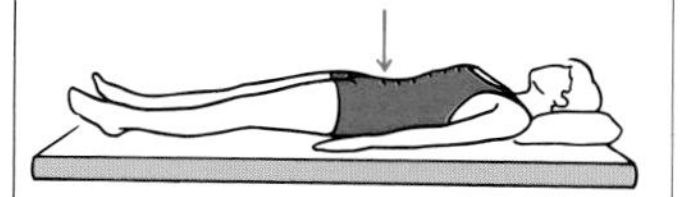

Phase 2: appui du bassin sur le sol

Exercice 2

Décontraction et assouplissement de la région lombaire

Description:

À genoux, faites basculer votre bassin vers l'avant pendant 5 secondes en inspirant par le nez, puis arrondissez-le très lentement durant 6 secondes en expirant par la bouche.

Répétitions:

Faites 5 mouvements complets minimum.
Poussez bien le bassin dans l'axe du corps et non en biais.
Restez bien droit: ne penchez pas le corps vers l'arrière.
Travaillez lentement.

> Quel est le rôle de l'étiopathie ?
> C'est une méthode visant à soigner certaines affections en réajustant les os du crâne.
> Aucune formation de base n'est nécessaire.
> Il n'y a aucune reconnaissance officielle.

Tête levée
et étirée
vers le haut

Mains
sur les hanches

Phase 1: poussée vers l'avant du bassin

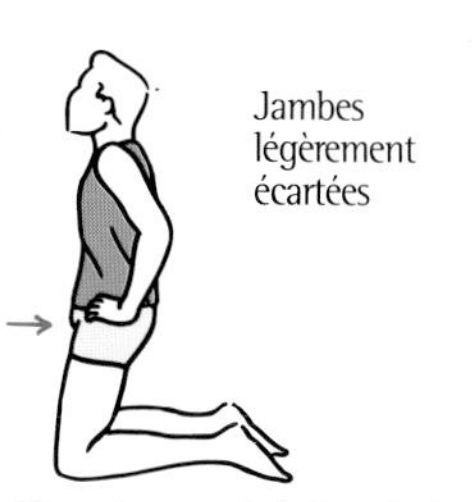

Phase 2: arrondi du bas du dos

À chacun son exercice !

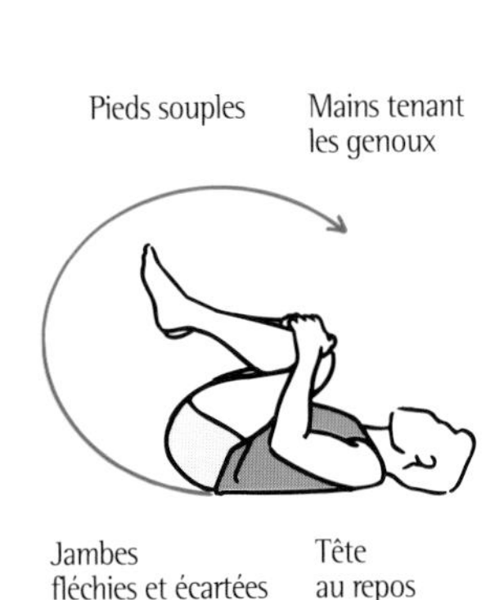

Exercice 3

Pour les zones lombaires sensibles

Description:
Allongé sur le dos, ramenez en faisant des cercles dans un sens, puis dans l'autre, vos genoux vers les épaules en expirant lentement par la bouche.
Lorsque votre bassin revient sur le sol: inspirez par le nez.
Répétitions:
Faites 6 cercles du bassin dans un sens, puis 6 cercles dans l'autre minimum.
Nota: cet exercice est recommandé en cas de zone lombaire fragile, voire douloureuse. Il est souvent pratiqué après des efforts musculaires importants: les exercices d'abdominaux par exemple. Certains adeptes de cette technique la pratiquent systématiquement avant de s'endormir.
Veillez à ne pas être déséquilibré en réalisant des cercles du bassin de trop grande amplitude.
Travaillez lentement.

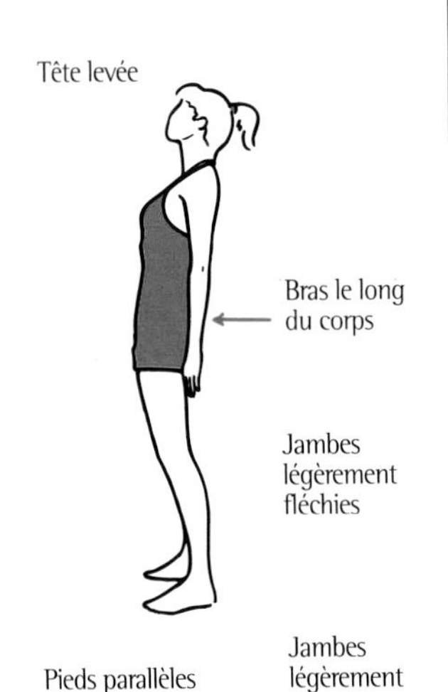

Exercice 4

Pour soulager les tensions lombaires

Description:
Debout, poussez lentement votre bassin vers l'avant en expirant par la bouche.
Poussez-le ensuite vers l'arrière sans excès en inspirant par le nez.
Répétitions:
Faites 5 avancées de bassin minimum.
Nota: il est recommandé en cas de longs séjours debout.
Étirez bien votre tête vers le haut: ne la laissez pas tomber vers l'avant.
Travaillez lentement.

Quel est le rôle exact du rhumatologue ?
Il est spécialiste des os, cartilages, tendons, ligaments, et des problèmes de rhumatisme, d'arthrose par exemple.

À chacun son exercice !

Exercice 5
Étirement relaxant

Description :
Allongé, étirez progressivement pendant 8 secondes vos jambes vers l'arrière en expirant très doucement par la bouche.
Répétitions :
Faites 4 étirements minimum.
Nota : cet exercice, en étirant la colonne vertébrale, permet aux disques intervertébraux de se détasser.
Ne bloquez pas vos orteils sur le sol pendant l'étirement ; laissez-les souples.

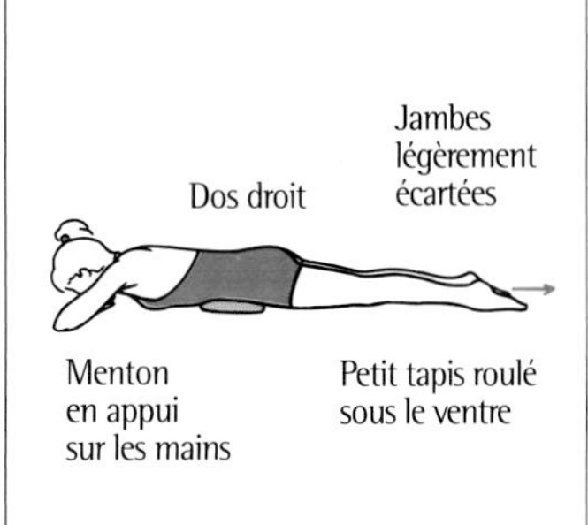

Quels sont les principaux métiers à risque pour les lombalgies ? Les professions du bâtiment, de l'agriculture, les chauffeurs de camion, les femmes de ménage, les infirmières, les personnes travaillant devant un ordinateur.

Exercice 6
Étirement du corps en finesse

Description :
Allongé sur le ventre, étirez progressivement simultanément le bras gauche et la jambe droite pendant 6 secondes en expirant par la bouche.
Inversez ensuite la position.

Répétitions :
Faites 6 étirements alternés minimum.
Nota : cet exercice allonge de façon peu commune le corps. Il est très bénéfique pour les fibres musculaires rarement étirées.

Étirez avec le même rythme de progression le bras et la jambe opposée. Veillez à ne pas décoller les membres du sol. Travaillez lentement.

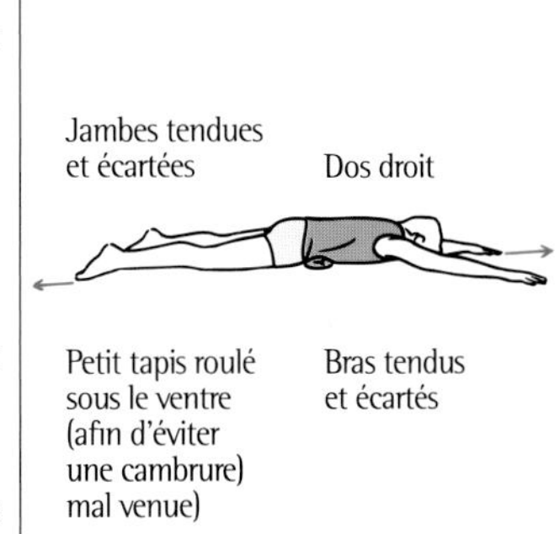

À chacun son exercice !

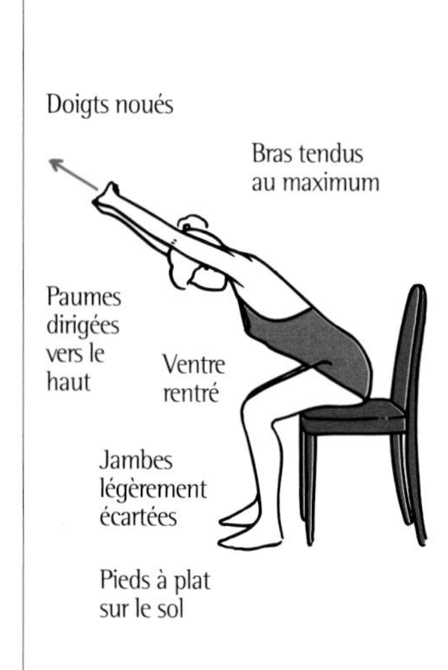

Exercice 7

Très connu : il renforce la musculature dorsale

Description :

Assis, penchez-vous au maximum vers l'avant, les bras au-dessus de votre tête. Maintenez la posture pendant 8 secondes en expirant lentement par la bouche.

Redressez-vous complètement en redescendant vos bras et en inspirant doucement par le nez.

Répétitions :

Faites 4 postures minimum.

Conservez votre dos bien plat et vos épaules étirées au maximum à l'arrière.

Il existe assurément un lien entre les problèmes dorsaux et le facteur émotionnel.
Les difficultés psychologiques sont un facteur d'aggravation de la douleur persistante.

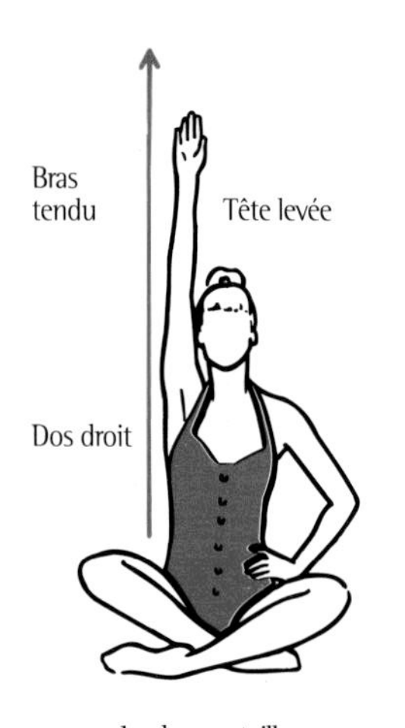

Exercice 8

Étirement dorsal complet en deux temps

Description :

Assis en tailleur, élevez lentement un bras à la verticale en expirant lentement par la bouche. Maintenez cette posture 6 secondes toujours en expirant. Relâchez ensuite complètement votre corps pendant 5 secondes en inspirant à fond très doucement.

Procédez de même avec l'autre bras.

Répétitions :

Faites 4 élévations alternées minimum.

Nota : cet étirement se ressent jusqu'au pubis, s'il est bien réalisé.

Restez bien droit(e) durant toute la durée de cet exercice : ne penchez pas votre corps sur le côté.

Travaillez lentement.

À chacun son exercice !

Exercice 9
Étirement - détente du bas du dos

Description:
Allongé, ramenez au maximum une jambe fléchie vers le visage. Maintenez la posture pendant 6 secondes en expirant par la bouche. Allongez-la ensuite lentement sur le sol en inspirant par le nez. Recommencez avec l'autre jambe.
Répétitions:
Faites 6 étirements alternés minimum.
Nota: cet exercice soulage efficacement les situations d'inconfort lombaire. Ce dernier est souvent pratiqué après un effort violent (exercices d'haltérophilie, de lutte, d'aérobic...).
Conservez la jambe tendue bien en contact avec le sol. Évitez de la soulever en ramenant l'autre jambe fléchie vers le visage. Travaillez lentement.

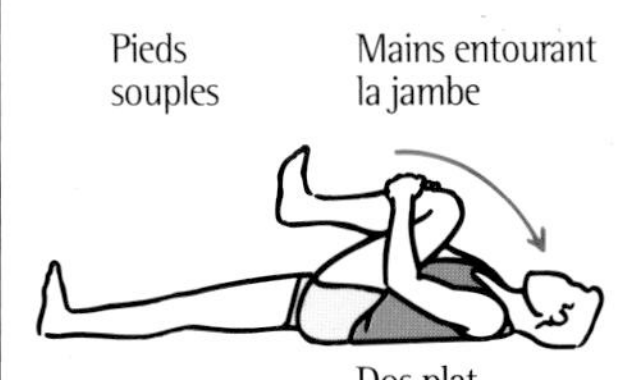

Exercice 10
Renforcement de la musculature dorsale

Description:
En appui sur le tibia droit et l'avant-bras gauche, élevez simultanément la jambe gauche et le bras droit lentement en expirant par la bouche. Inspirez par le nez en ramenant la jambe et le bras sur le sol. Procédez de même avec la jambe droite et le bras gauche.
Répétitions:
Faites 12 élévations alternées minimum.
Nota: cet exercice est recommandé notamment en cas d'insuffisance musculaire lombaire.
Travaillez doucement afin d'éviter des déséquilibres.

Comment vieillit le disque intervertébral ?
Le noyau gélatineux se dessèche progressivement et ne joue plus ainsi son rôle de répartition des charges.

À chacun son exercice !

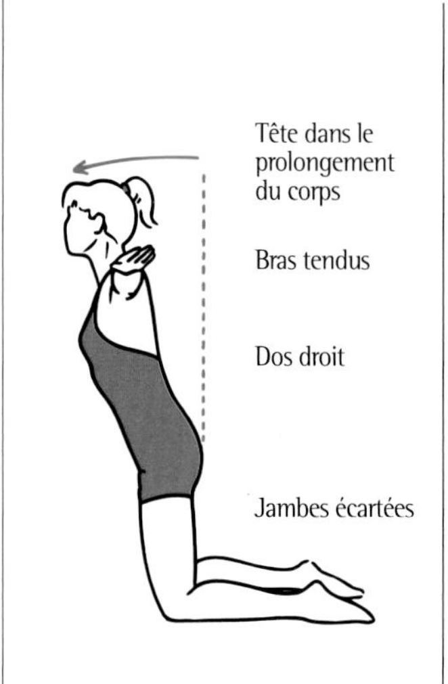

Exercice 11

Pour améliorer la tonicité des muscles du dos

Description:

À genoux, faites basculer lentement votre buste vers l'avant. Conservez ainsi votre équilibre en serrant (contractant) bien vos abdominaux pendant 6 secondes et en expirant doucement par la bouche.

Ramenez également lentement votre corps à la verticale en inspirant par le nez.

Répétitions:

Faites 4 maintiens d'équilibre minimum.

Nota:

Cet exercice clef de musculation est d'une extrême efficacité pour améliorer la qualité des muscles du dos.

Si vous ne vous penchez pas beaucoup vers l'avant, cela n'a pas d'importance: faites selon vos possibilités, l'essentiel étant de conserver le dos droit.

Procédez avec lenteur afin de mieux contrôler votre équilibre.

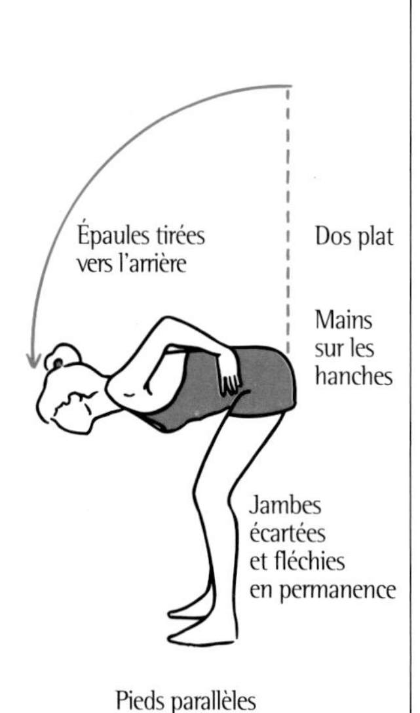

Exercice 12

Pour des muscles lombaires plus résistants

Description:

Debout, fléchissez votre buste vers l'avant en expirant par la bouche, remontez lentement votre buste à la verticale.

Répétitions:

Faites 10 flexions avant du buste minimum.

Conservez votre dos le plus droit possible pendant la flexion, en tirant les épaules en arrière.

En raison du mal de dos:

- Les arrêt de travail représentent 10 % de leur totalité.
- Les consultations s'élèvent à 208 millions par an et représentent le troisième motif de visite chez le médecin.
- Les accidents du travail s'élèvent à 95.000.
- Les journées non travaillées s'élèvent à 3,5 millions par an (ce qui coûte environ 6 milliards de francs à la collectivité).

À chacun son exercice !

Exercice 13

Tonicité et résistance

Description:

Un genou au sol, fléchissez le buste lentement vers l'avant en levant le bras gauche devant vous et en étirant le bras droit vers l'arrière.

Maintenez cette position pendant 8 secondes en expirant lentement par la bouche.

Inspirez par le nez en redressant lentement votre buste. Inversez ensuite la position de vos bras.

Répétitions:

Faites 6 postures alternées minimum.

Conservez votre corps immobile en contractant bien les abdominaux.

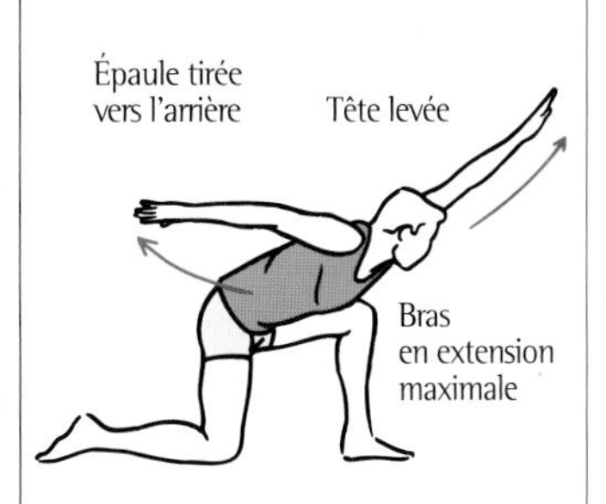

Les professions ou activités exposées aux vibrations créent de véritables traumatismes vertébraux. Par exemple, les conducteurs de camion sont sujets aux lombalgies.

Exercice 14

Torsion assouplissante bienfaitrice

Description:

Assis en tailleur: tournez lentement le plus possible votre corps vers la gauche en expirant par la bouche pendant 6 secondes.

Inspirez par le nez en inversant la position.

Répétitions:

Faites 4 postures alternées minimum.

Nota: cet exercice est très connu des habitués du stretching.

Restez bien droit(e). Ne penchez pas votre corps vers l'arrière. Travaillez lentement.

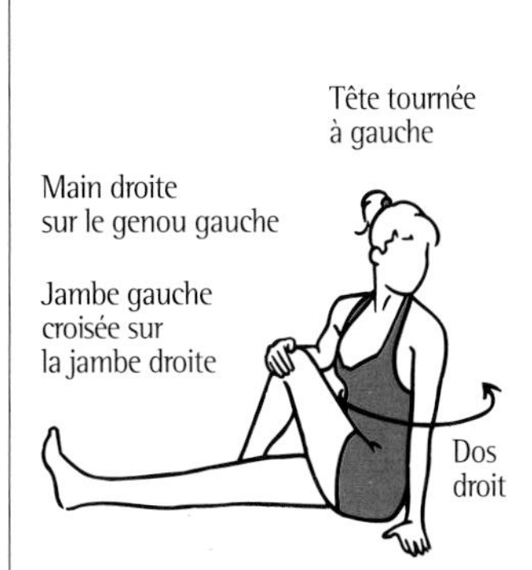

Qu'est-ce que la scoliose ?
La définition de base est la suivante: déviation latérale et en torsion dans les trois axes de la colonne vertébrale.

À chacun son exercice !

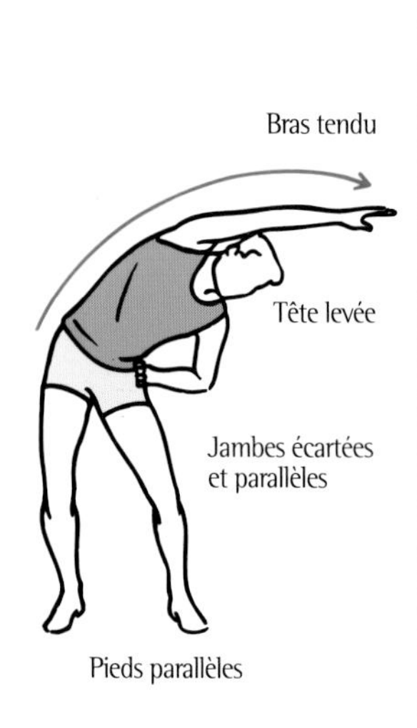

Exercice 15

Extension des muscles latéraux

Description :

Debout, fléchissez votre buste sur le côté en expirant par la bouche. Maintenez la posture pendant 8 secondes.
Inspirez par le nez en changeant de côté.

Répétitions :

Faites 6 postures alternées minimum.
Nota : cet exercice issu de la culture physique traditionnelle étire des fibres musculaires peu sollicitées en extension dans la vie courante.
Placez bien le bras en extension le plus possible vers l'arrière afin qu'il reste dans l'axe du corps.

Qu'est-ce qu'une cyphose ?
La définition de base est la suivante : courbure exagérée à convexité postérieure de la colonne vertébrale.
Cela se traduit généralement par le fameux "dos rond".

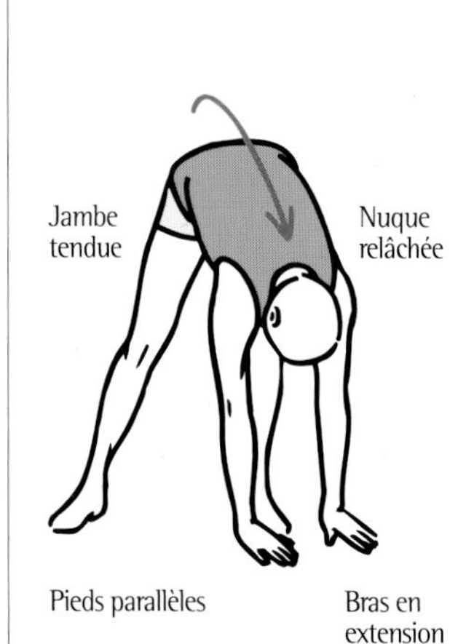

Exercice 16

Test de souplesse

Description :

Debout, fléchissez en alternance le buste et la jambe gauche ou la jambe droite, en expirant par la bouche.
Inspirez par le nez lors du changement de jambe. Posez vos mains sur le sol devant chaque pied à chaque fois. Ne vous relevez pas à chaque flexion.

Répétitions :

Faites 8 flexions de buste alternées minimum.
Nota :
si vous n'êtes pas suffisamment souple pour que les paumes de vos mains touchent le sol, cela n'a pas d'importance ! Descendez-les le plus bas possible tout simplement.
Conservez vos bras tendus en posant les paumes de vos mains sur le sol.
Travaillez lentement.

À chacun son exercice !

Exercice 17

Pour assouplir le haut du dos et “ouvrir” la cage thoracique

Description:

Assis: placez vos mains derrière votre nuque (sans nouer vos doigts).

Étirez ainsi avec progression le plus possible vos coudes vers l'arrière pendant 8 secondes en expirant par la bouche.

Relâchez pendant 6 secondes vos bras le long de votre corps en inspirant par le nez avant de recommencer.

Répétitions:

Faites 6 étirements minimum.

Attention à ne pas projeter le bassin vers l'avant et à cambrer. Restez bien à la verticale !

Il existe de nombreuses controverses quant à la pratique du sport quand on souffre de lombalgie.

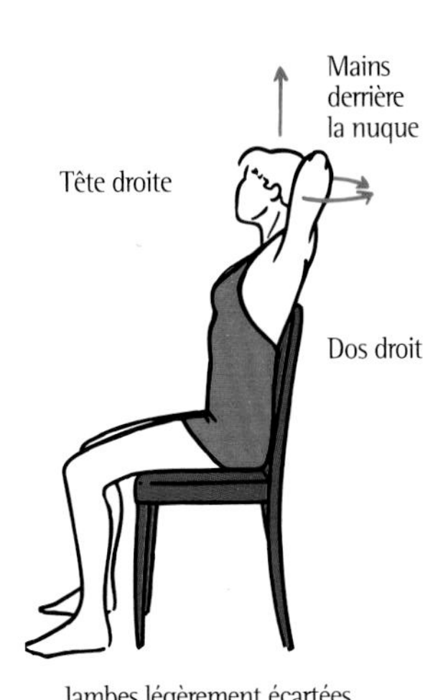

Exercice 18

Equilibre et extension

Description:

Debout, étirez au maximum votre jambe tendue à l'arrière dans le prolongement du corps pendant 6 secondes en expirant par la bouche.

Reposez-la ensuite au sol en inspirant.

Décontractez-vous, avant d'élever l'autre jambe.

Répétitions:

Faites 4 étirements alternés minimum.

Conservez bien votre jambe parallèle au sol.

Qu'est-ce que la lordose ?
C'est une courbure exagérée à convexité antérieure des parties cervicale et lombaire de la colonne vertébrale. Elle est parfois corrigée dès l'enfance par des exercices spécifiques et par des conseils de maintien.

À chacun son exercice !

Exercice 19

Pour le bien-être de vos vertèbres

Description:

Debout dos à un mur: élevez vos bras le plus haut possible, les pieds en extension, en expirant par la bouche. Maintenez cette posture 8 secondes.

Reposez vos talons sur le sol en inspirant par le nez.

Répétitions:

Faites 4 élévations minimum.

Placez-vous le plus près possible du mur.

Pourquoi cet engouement envers la mésothérapie pour soigner les maux de dos ?
Tout simplement parce que la mésothérapie permet d'administrer de petites doses de médicaments sans créer de dommages au niveau de l'estomac.
Elle permet ainsi d'injecter directement le liquide dans la zone douloureuse et d'obtenir de rapides résultats.

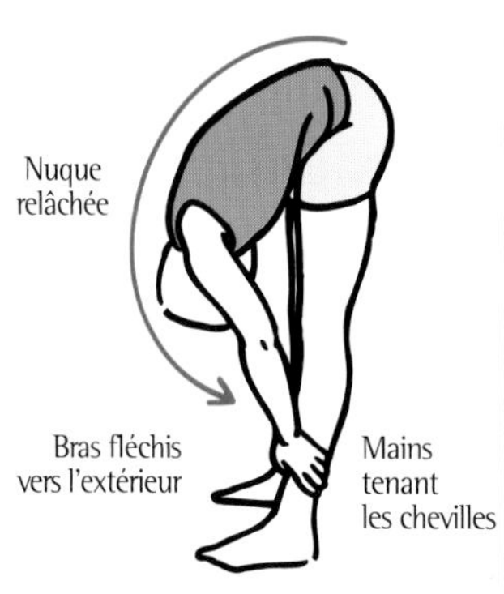

Exercice 20

Exercice bénéfique pour les contractures et les points douloureux

Description:

En position debout:

Attrapez vos chevilles et ramenez lentement le buste vers les genoux.

Maintenez la posture en flexion maximale au moins 8 secondes en expirant lentement par la bouche. Inspirez par le nez pendant 6 secondes en relâchant complètement votre corps vers l'avant et en lâchant vos chevilles. Recommencez.

Répétitions:

Faites 4 postures minimum.

Conservez les jambes les plus tendues possible.
Pour une meilleure stabilité: écartez-les légèrement.

À chacun son exercice !

Exercice 21

Afin de détendre la région lombaire

Description:

Allongé sur le dos: attrapez vos chevilles et ramenez vos jambes tendues vers le visage.

Maintenez chaque posture 8 secondes environ en expirant lentement par la bouche.

Reposez vos pieds sur le sol en inspirant par le nez durant 6 secondes.

Recommencez.

Répétitions:

Faites 4 étirements minimum.

Les jambes sont tendues et serrées en permanence.

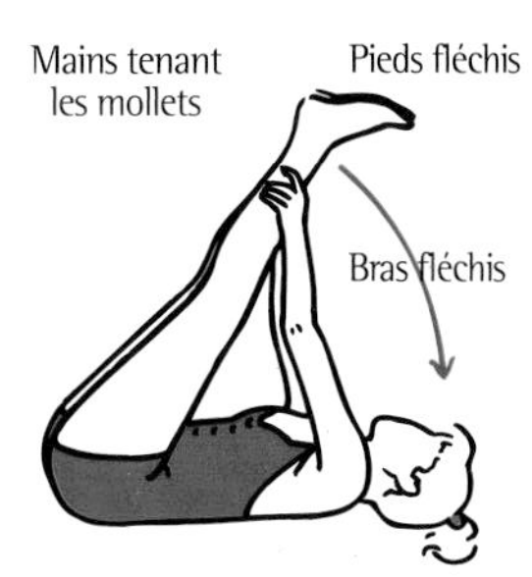

Qu'est-ce que l'arthrose vertébrale ?
Il s'agit de la dégénérescence des articulations des os qui, en réaction, fabriquent de petites excroissances osseuses (appelées ostéophytes ou becs-de-perroquet).

Exercice 22

Pour réduire les sensations de contracture d'une façon générale

Description:

En position à genoux: arrondissez votre dos au maximum durant 8 secondes en expirant lentement par la bouche. Replacez votre dos pendant 5 secondes en position normale en inspirant par le nez.

Recommencez.

Répétitions:

Faites 4 étirements minimum.

Le dos est légèrement arrondi.

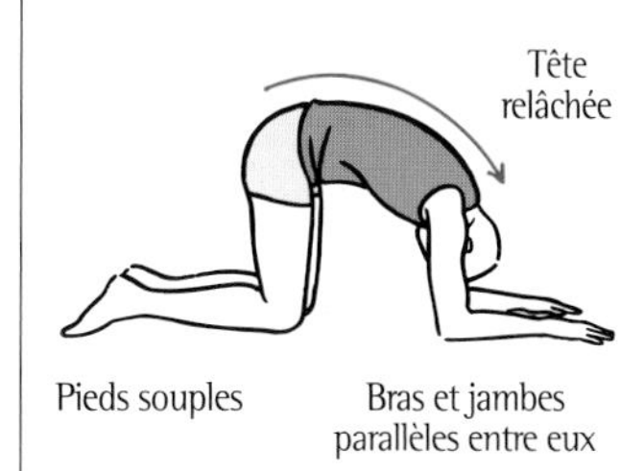

Qu'appelle-t-on les rhumatismes ?
Ce sont des affections de différentes origines, présentant une inflammation ou une dégénérescence des articulations.

À chacun son exercice !

Exercice 23

Pour détendre vos muscles dorsaux

Description:
En position agenouillée: étirez au maximum les bras devant vous pendant 8 secondes en expirant lentement par la bouche. Relâchez-vous ensuite complètement pendant 5 secondes en inspirant par le nez. Recommencez.

Répétitions:
Faites 4 étirements minimum.
Les fessiers sont bien en appui sur les talons.

Qu'est-ce qu'une spondylarthrite ankylosante ?
"Spondyle" concerne les vertèbres, "arthrite" est l'inflammation des articulations, "ankylosante" a trait à l'ankylose de la colonne vertébrale. Cette maladie raidit progressivement la colonne vertébrale, les articulations sacro-iliaques (ainsi que les articulations des hanches, .épaules, parfois même des genoux...).

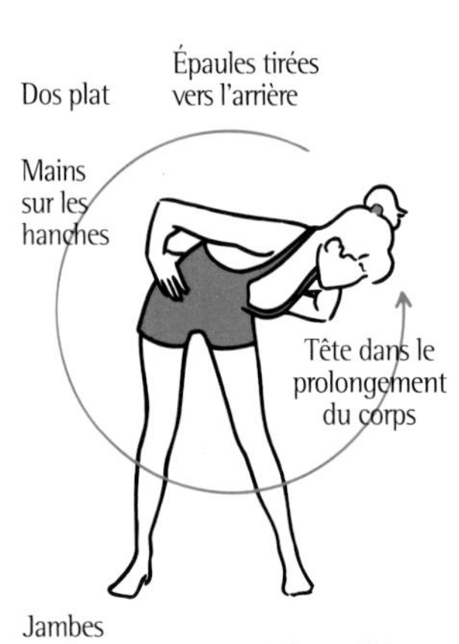

Exercice 24

Pour une souplesse complète du bas du dos

Description:
Debout: jambes tendues et écartées, faites des rotations complètes du buste. Expirez par la bouche sur la descente du buste.

Répétitions:
Faites 20 rotations alternées.
Faites des cercles les plus grands possible.

Surtout, n'hésitez pas à aller à des cours spécifiques "entretien du dos" existant dans la plupart des centres de remise en forme.
Ces cours comportent d'ailleurs des exercices cités dans ce livre. Ainsi, vous ne serez pas dépaysé !

À chacun son exercice !

Exercice 25

Assouplissement des épaules garanti !

Description :

Debout : dans votre dos, attrapez votre main droite avec votre main gauche. Maintenez pendant 8 secondes cette posture en expirant lentement par la bouche avant de relâcher vos bras en inspirant par le nez.
Inversez ensuite la position.

Répétitions :

Faites 6 postures alternées.
Étirez au maximum vos coudes vers l'arrière.

Une profession statique entraîne une perte de souplesse, un raidissement et une prédisposition aux traumatismes… Le disque vertébral notamment souffre fortement de l'immobilité posturale.

Exercice 26

Etirement du bas du dos et de la jambe

Description :

Allongé sur le dos : ramenez avec progression une jambe tendue vers vous pendant 8 secondes en expirant lentement par la bouche.
Inspirez par le nez en ramenant doucement votre jambe sur le sol avant de recommencer avec l'autre jambe.

Répétitions :

Faites 6 élévations alternées.
Conservez le bas du dos sur le sol.

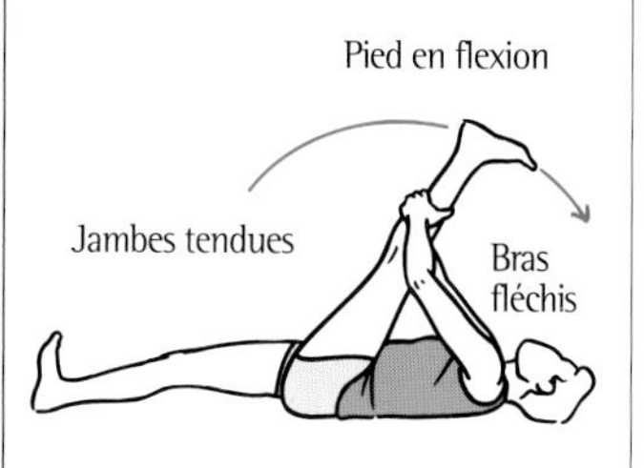

On ne parle jamais des ligaments vertébraux !
Ce sont eux qui unissent les corps vertébraux antérieurement et postérieurement. Ils sont constitués de fibres longues, superficielles, recouvrant plusieurs vertèbres, et de fibres profondes arciformes rapprochant deux vertèbres voisines.

À chacun son exercice !

Exercice 27

Pour les bas du dos endoloris

Mains
entourant un genou

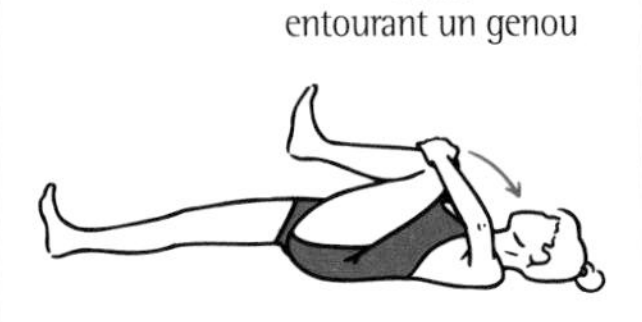

Jambe en extension

Tête en repos
sur le sol

Description:
Allongé sur le dos: ramenez la jambe fléchie vers la poitrine en expirant doucement par la bouche.
Maintenez cette posture pendant 8 secondes minimum.
Changez de jambe ensuite.
Répétitions:
Faites 10 ramenés alternés de jambes vers le visage.
Conservez la jambe tendue le plus près possible du sol.

Certaines maladies rhumatismales comme l'arthrose peuvent prendre de l'ampleur dans le cadre d'activités sportives spécifiques.
En effet, les contraintes répétées peuvent créer des pressions négatives ainsi que des micro-traumatismes (par exemple les arthroses cervicales chez les rugbymen).
Alors: entraînez-vous avec la juste dose !

Exercice 28

Tonification du dos et des muscles abdominaux assurée !

Tête levée
en extension
vers le haut

Avant-bras
à la verticale
en appui
sur la table

Ventre rentré

Dos
très droit

Description:
Assis: les coudes en appui sur une table, devant vous, soulevez votre genou droit pendant 6 secondes en expirant par la bouche.
Inspirez par le nez en reposant le pied au sol.
Recommencez avec la jambe gauche.
Répétitions:
Faites 8 élévations alternées de genoux minimum.
Gardez les avant-bras bien perpendiculaires.

Le dos et l'enfant
Ne faites pas pratiquer n'importe quel sport à votre enfant sans connaître sa structure dorsale. En effet, certains sports, tel le judo, peuvent être déconseillés en cas de fragilité dorsale.

À chacun son exercice !

Exercice 29

Consolidez le bas de votre dos !

Description :

Debout : appuyez pendant 8 secondes, en expirant par la bouche, le bas de votre dos bien collé contre le mur. Inspirez par le nez en vous relâchant.

Répétitions :

Faites 6 appuis forcés minimum.

La région lombaire est fortement collée contre le mur.

Voici les recommandations pour le port de charges occasionnel (une fois au plus par cinq minutes).

Âge	Hommes	Femmes
15-18 ans	15 kg	12 kg
18-45 ans	30 kg	15 kg
45-65 ans	25 kg	12 kg

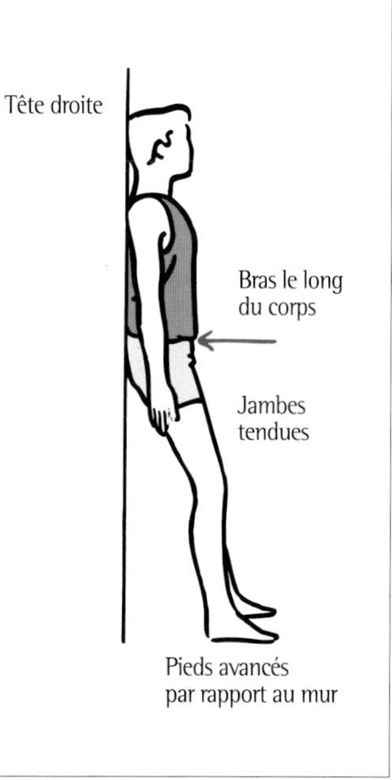

Exercice 30

Etirement assis !

Description :

Assis : étirez vers le haut votre bras gauche tout en plaçant votre main droite bien à plat sur l'omoplate gauche.

Expirez par la bouche pendant 8 secondes sur cet étirement avant d'inverser doucement la position.

Répétitions :

Faites 8 étirements alternés minimum.

Les épaules bien en arrière.

Il est parfois difficile pour un salarié de déclarer un mal de dos en accident du travail. En effet, la Caisse primaire ou même l'employeur contestent le plus souvent la source et le lieu du traumatisme. Pour pallier cela : utilisez la prévention sous toutes ses formes : hygiène de vie, sommeil suffisant, repos, activités physiques, exercices spécifiques pour le dos, etc.

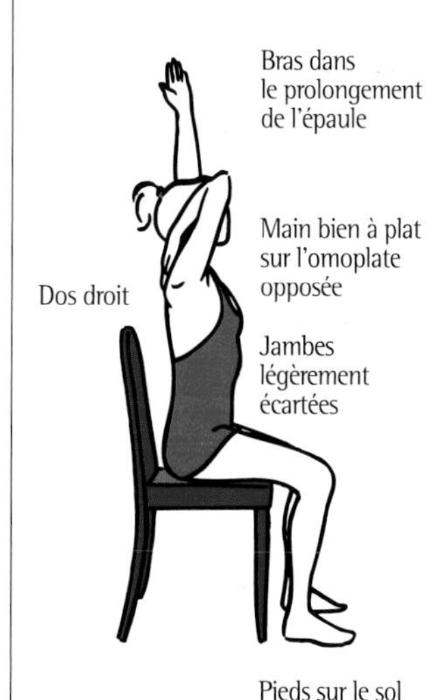

À chacun son exercice !

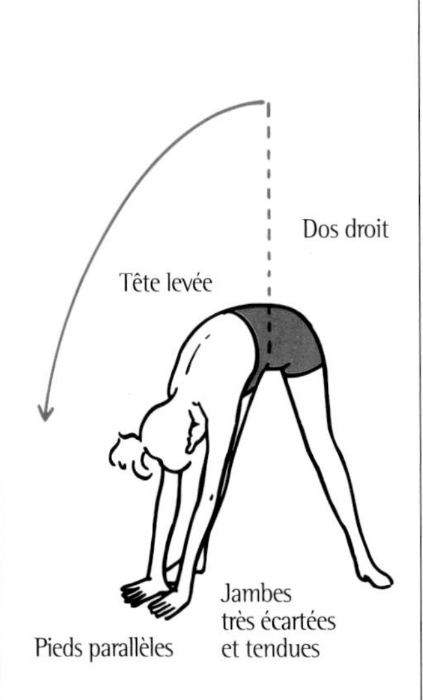

Exercice 31

Souplesse et renforcement musculaire latéraux du dos

Description:

Debout: fléchissez votre buste vers l'avant en touchant le sol de vos mains devant votre pied gauche et droit en alternance.
Redressez complètement le corps après chaque flexion.
Expirez par la bouche en descendant. Inspirez par le nez en remontant.

Répétitions:

Faites 20 flexions alternées minimum.
Gardez vos bras tendus en permanence.

La stimulation d'un nerf peut déclencher une douleur à distance au niveau vertébral. Une affection O.R.L. peut exceptionnellement déclencher des douleurs au niveau cervical et lombaire, ainsi qu'un problème gynécologique ou rénal.

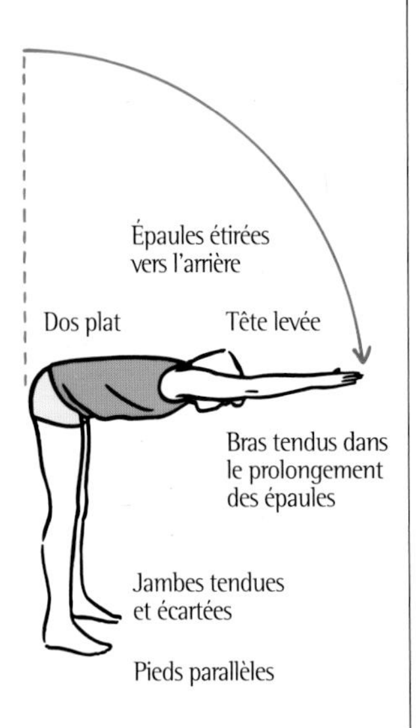

Exercice 32

Etirement de la colonne vertébrale et renforcement du bas du dos

Description:

Debout: fléchissez votre buste vers l'avant en conservant les bras parallèles en extension maximum.
Expirez par la bouche en descendant, inspirez par le nez en vous relevant.

Répétitions:

Faites 30 flexions du buste minimum.
Ne cambrez pas les reins en vous relevant:
contractez vos muscles abdominaux en vous relevant.

À noter: le Code du Travail interdit d'imposer à une femme le soulèvement même isolé d'une charge de plus de 25 kg.

À chacun son exercice !

Exercice 33

Fini les raideurs des épaules !

Description:
Assis en tailleur: en gardant votre dos droit et immobile, faites passer vos bras tendus de gauche à droite. Vos mains sont écartées et maintiennent un bâton de gymnastique ou un balai.
Veillez à respirer avec régularité.
Répétitions:
Faites 20 passages de chaque côté.
Nota: il est également possible de faire cet exercice sans objet en conservant en permanence le même écart de bras.
Vos bras doivent descendre au maximum sur les côtés sans fléchir.

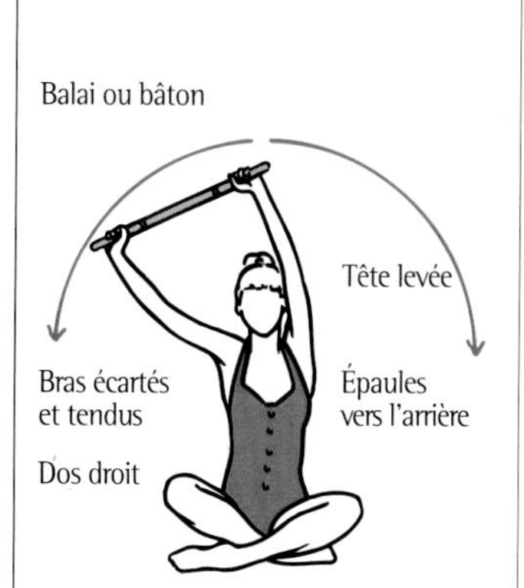

Exercice 34

Testez votre souplesse

Description:
Debout: touchez le sol avec vos mains en expirant par la bouche.
Redressez-vous complètement en inspirant par le nez.
Répétitions:
Faites 10 flexions complètes du buste.
Conservez les jambes parfaitement immobiles durant tout l'exercice.

Quand sont apparues, dans l'histoire, les premières pratiques de manipulation ?
On en trouve les traces dès 1200 avant J.-C. en Égypte.
À noter: les premiers diplômes de masseur-kinésithérapeute datent de 1946.

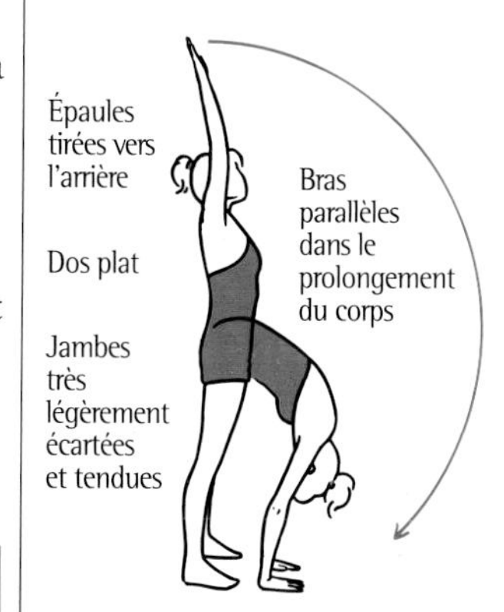

À chacun son exercice !

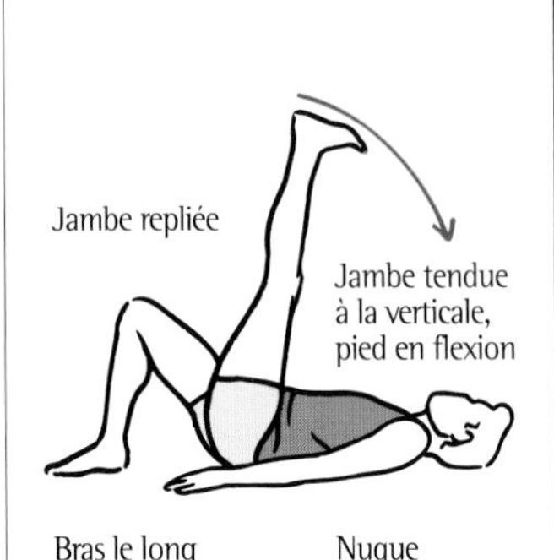

Exercice 35

Renforcement du dos et des muscles abdominaux

Description :

Allongé sur le dos : élevez une jambe tendue le plus près possible du visage.

Conservez cette posture en étirement maximal des muscles postérieurs (arrière) de la cuisse et du mollet pendant 8 secondes.

N'oubliez pas d'expirer lentement en même temps par la bouche.

Reposez ensuite doucement votre jambe sur le sol en inspirant doucement par le nez avant de changer de jambe.

Répétitions :

Faites 6 élévations de jambes alternées.

Tout le dos doit être en contact avec le sol.

Exercice 36

Musculation dorsale de choc

Description :

À partir de la position allongée sur le dos : relevez votre buste, avec les bras devant vous en expirant lentement par la bouche.

Maintenez chaque relevé 4 secondes.

Reposez doucement votre dos sur le sol pendant 5 secondes en inspirant par le nez.

Répétitions :

Faites 8 relevés du buste minimum.

Pour cet exercice, conservez vos jambes immobiles sur le sol.

Qu'est-ce que l'ergonomie ?

C'est le regroupement des recherches et réflexions sur l'organisation méthodique du travail et l'aménagement des équipements en fonction des possibilités de l'homme.

À chacun son exercice !

Exercice 37

Spectaculaire étirement pour initié !

Description :

Allongé sur le dos, mains soutenant les hanches : ramenez vos jambes vers l'arrière.

Conservez cette posture pendant 8 secondes en expirant doucement par la bouche.

Reposez doucement le bassin et les pieds sur le sol, en inspirant par le nez avant de recommencer.

Répétitions :

Faites 5 élévations des jambes minimum.

Il est inutile de chercher à tout prix à poser les pieds derrière la tête : contentez-vous d'aller le plus loin possible.

Ne prenez surtout pas d'élan et contrôlez bien vos jambes pendant toute la durée de l'exercice.

Maîtrisez bien vos hanches : ne laissez pas le poids de votre corps exercer une pression trop forte au niveau des vertèbres cervicales.

Exercice 38

Musculation du bas du dos

Description :

Allongé sur le ventre : élevez vos jambes du sol en expirant par la bouche. Maintenez la posture 4 secondes. Reposez vos jambes en inspirant par le nez.

Répétitions :

Faites 6 élévations minimum.

Cette technique muscle également jambes et fessiers.

Évitez de fléchir ou de lever les jambes de façon dissymétrique.

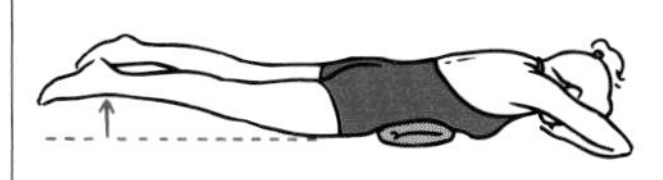

Les massages sont-ils réellement efficaces ?
Ils constituent le plus souvent un complément intéressant à diverses thérapies. Ils apportent en plus une décontraction et un confort certain.
À noter cependant qu'ils n'améliorent en rien la qualité musculaire.

La poitrine

Les exercices qui vous sont proposés dans ce chapitre ont pour vocation de tonifier vos muscles pectoraux et de vous redonner un meilleur port de buste.
Chacune d'entre nous le sait: les seins sont constitués essentiellement de graisse, de glandes et de corps adipeux, le tout reposant sur la masse musculaire. Il n'est donc pas possible d'intervenir directement sur eux.
En revanche, on peut apprendre à se tenir plus droite, à obtenir une meilleure tonicité musculaire, à modifier l'allure générale de la poitrine (dans le cadre d'un entraînement suivi).
Pour preuve, il suffit de comparer l'état bustier (pour le même âge bien sûr) d'une personne qui pratique régulièrement une activité physique avec celui d'une personne qui est complètement sédentaire. Par exemple, même si ces deux personnes présentent une ptôse des seins, leur effet esthétique sera complètement différent.
Il est essentiel de ne pas faire n'importe quoi car la poitrine est une zone fragile qui s'abîme facilement. Par conséquent, il s'agit de pratiquer les bons mouvements et de la bonne façon.

Tonifiez votre poitrine

4 attitudes à adopter tous les jours pour tonifier votre poitrine

▲ Portez un soutien-gorge pour porter des charges ou faire du sport

▲ Exercez-vous sans violence

▲ Veillez à ne pas maigrir trop rapidement

▲ Évitez au maximum le soleil sur les seins

Généralités

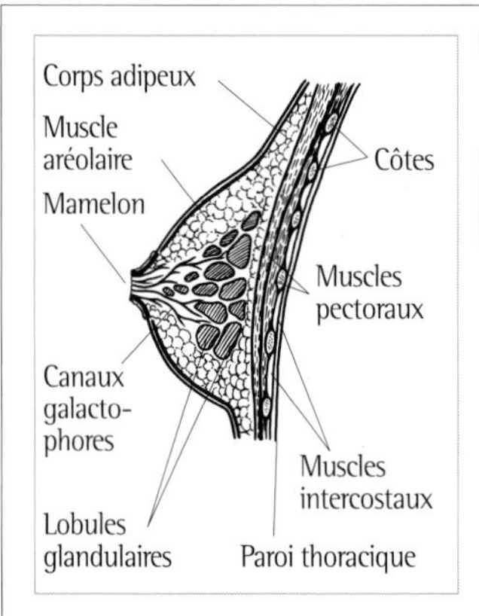

Quelques informations

Les seins étant sujets aux variations hormonales des cycles menstruels, ils peuvent parfois gonfler et se sensibiliser. Évitez en conséquence de pratiquer les exercices à cette période-là. Beaucoup de femmes se plaignent d'avoir un sein plus gros que l'autre: c'est tout à fait normal ! Cependant, ils peuvent être atteints de mastoses. Dans ce cas, il convient de prendre l'avis d'un spécialiste. À retenir: c'est la grossesse qui endommage la poitrine, et non l'allaitement. En effet, après un accouchement, la peau des seins devient fine, parsemée de petites veines et a tendance à se relâcher. Il est donc préférable d'avoir au moins un support musculaire tonique.

Pour avoir de beaux seins...

- Se tenir la plus droite possible tout au long de la journée.
- Porter un soutien-gorge confortable ne comprimant pas la cage thoracique.
- Se doucher les seins à l'eau fraîche ou froide.
- Porter un soutien-gorge "spécial sport" lors de toute activité sportive.

À éviter absolument

- Tous les mouvements ou sports violents (aérobic, certains sports collectifs, certaines disciplines de l'athlétisme...).
- Les bains de soleil prolongés sans protection solaire avec un indice élevé.
- Porter des charges lourdes.
- Les massages trop violents sur les seins. Pour faire pénétrer une crème, masser en cercles très doucement.
- Écraser la poitrine en ramenant les bras croisés devant soi (par exemple en portant des objets lourds et encombrants).
- Les bains chauds prolongés.
- Les variations de poids.
- Une alimentation insuffisamment protéinée.

Votre poitrine est petite et vous voulez obtenir un galbe plus performant ?

Certes, le "Wonderbra" est excellent et donne de très bons résultats, mais rien ne vaut le naturel !

Pour un résultat optimal

- Pratiquez les exercices conseillés dans ce recueil en utilisant le plus souvent possible des petits poids.

N'ayez aucune crainte: l'exemple des femmes culturistes qui utilisent des poids importants et qui, à force de s'entraîner, n'ont plus de seins ne vous concerne pas. Elles s'activent en effet six heures par jour avec des charges parfois phénoménales.
Bien au contraire, utiliser des petits poids avec modération tonifie, raffermit et développe une "plastique" appréciable.

- Allongez vos temps d'entraînement si vous le pouvez.
- Diminuez vos périodes de récupération avec l'expérience.

Cependant, n'oubliez pas que même une petite poitrine n'est pas exempte d'affaissement. Elle se maintient en général tonique plus longtemps qu'une forte, mais n'est pas à l'abri d'un relâchement. Entretenez-la donc à titre préventif !

Votre poitrine est forte et vous voulez la tonifier ?

• Pratiquez tous les exercices décrits dans ce guide sur un rythme assez lent afin d'éviter tout désagrément au niveau des glandes mammaires.

• **Donnez la priorité aux mouvements qui étirent les épaules vers l'arrière et redonnent du tonus au buste. En effet, en cas de forte poitrine, on a souvent tendance à voûter un peu le haut du dos et à accentuer l'affaissement des seins: REDRESSEZ-VOUS ! Les fortes poitrines reviennent régulièrement à la mode ! Surtout, ne soyez pas complexée !**

• Gardez toujours à l'esprit de bien placer votre dos.

• Évitez les gestes trop dynamiques qui risquent de "casser" les fibres.

• Appliquez-vous spécialement lors de la réalisation de mouvements avec les bras au-dessus de la tête, qui ont pour effet de "remonter" les seins.

• Si vous êtes téméraire: placez quelques glaçons sur vos seins, tous les trois ou quatre jours, après la douche.

• Privilégiez, lorsque vous le pouvez, les nages sur le dos.

• Si vous possédez une barre d'appartement: n'hésitez pas à vous suspendre quelques secondes en conservant vos pieds sur le sol. Ainsi, vous vous tiendrez plus droite durant les heures qui suivent.

• L'application d'une crème raffermissante complétera agréablement ces conseils.

Qu'est-ce qu'un lifting mammaire ?
Cette technique d'une durée de deux heures permet de redresser les seins. Il est nécessaire de procéder à une anesthésie générale. Le chirurgien procède à la remise en place de l'aréole et du mamelon, puis enlève la peau excédentaire. La cicatrice peut se situer autour de l'aréole avec une cicatrice verticale en dessous du sein. Elle peut aussi avoir la forme d'un T inversé, d'un I ou d'un L, et reste visible pendant un an avant de disparaître petit à petit.

L'idéal pour une petite poitrine

- **Mouvements spécifiques de culture physique avec des petits poids.**
- **Crèmes spécifiques (même si elles ne sont pas miraculeuses, c'est un plus !).**
- **Douches fraîches ou froi-des.**
- **Sport adapté comme la natation.**
- **Pratique du stretching.**

Important

Les exercices proposés ci-après sont à pratiquer avec les jambes fléchies afin de sécuriser au maximum vos vertèbres lombaires.

Un entretien sérieux du buste ne peut s'envisager sans un travail dorsal simultané. C'est pour cela que la plupart des exercices de ce recueil améliorent fortement la structure musculaire du dos. Maintenir les épaules en arrière et le dos droit en permanence grâce à un support musculaire de qualité redonne un port de seins plus seyant et tonique.

Pour obtenir le meilleur esthétisme possible, il est conseillé de changer d'exercice chaque jour afin de solliciter le maximum de fibres musculaires.

Quatre exercices simples et efficaces

Détail de ces exercices dans les pages suivantes

Quelles sont les caractéristiques d'un intervention concernant la réduction mammaire ?

Avant tout, il convient d'effectuer un bilan préopératoire, une mammographie, et de constituer un dossier photographique complet.
On peut être opérée dès l'âge de 17 ans. Pour les femmes qui ont eu un enfant, il est préférable d'attendre de 6 mois à 1 an après la fin de la grossesse.
L'intervention dure entre 3 et 4 heures et s'effectue sous anesthésie générale. Le chirurgien procède ainsi:
- il diminue et remodèle les glandes mammaires ;
- L'excédent de peau est retiré;
- le mamelon est remonté ;
- l'alignement des seins est rectifié ;
- la peau est refermée sur un petit suceur aspirant les sérosités.
Cette intervention nécessite un séjour de trois jours en clinique. Durant deux mois, il ne faut ni se baigner, ni s'exposer au soleil. Cette petite opération laisse des cicatrices qui disparaissent en les tatouant de la même couleur que la peau.

Exercice A

Idéal également pour redresser les épaules fatiguées !
Petits cercles avec les bras tendus.
Réalisation minimum:
15 cercles dans un sens,
15 cercles dans l'autre.

Exercice B

Exercice connu également pour assouplir le haut du dos !
Petits étirements des bras tendus vers l'arrière.
Réalisation minimum:
une quinzaine de répétitions.

Exercice C

Agréable et tonique à la fois !
Tirer les coudes en arrière.
Réalisation minimum:
une quinzaine de répétitions.

Exercice D

Appelé aussi l'exercice "télévision"
Tirer lentement les coudes vers l'arrière.
Réalisation minimum:
une quinzaine de répétitions.

Quatre exercices simples et efficaces

Exercice A

Certes, c'est un exercice plus recommandé pour le dos que pour la poitrine. Il est cependant indispensable de l'intégrer à un programme de restructuration de la poitrine.
En effet, la position des épaules est primordiale pour le maintien du buste.
Cet exercice a pour vocation, en étirant les épaules vers l'arrière, d'aider à un meilleur placement des seins (du moins en partie).
Il est donc primordial de porter toute son attention sur la phase arrière du cercle.

But de l'exercice

- Étirer la poitrine vers l'arrière.
- Redresser le haut du dos.
- Réapprendre à se tenir droite.

Comment le faire ?

À partir de la position debout, fléchissez et écartez les jambes.
Placez vos pieds bien parallèles entre eux.
Élevez les bras en croix en serrant bien les poings.
Il ne vous reste plus qu'à réaliser des petits cercles dans un sens, puis dans l'autre.

Pour pallier la monotonie, vous pouvez:
- Intercaler un cercle dans un sens et un cercle dans l'autre sens.
- Intercaler 2 petits cercles avec 2 plus grands.
- Intercaler 2 cercles très lents avec 2 à votre rythme.

Attention à ne pas descendre trop les bras !

Petits cercles avec les bras tendus.

Réalisation minimum: 15 cercles dans un sens, 15 dans l'autre.

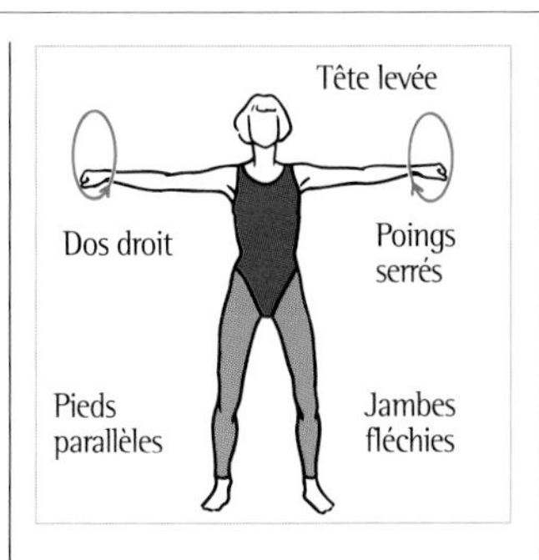

Les détails à ne pas oublier…

Évitez de fléchir les bras, même un peu.
Ne descendez pas un bras plus bas que l'autre.
Réalisez les cercles de façon symétrique.
Veillez à ce que les omoplates se touchent à chaque geste.

Comment respirer ?

Inspirez sur la phase avant des cercles.
Expirez sur la phase arrière des cercles.

Combien de fois faut-il répéter l'exercice ?

Si vous ne l'avez jamais fait: faites une quinzaine de cercles dans un sens, puis une quinzaine dans l'autre, en vous arrêtant à votre convenance.
Si vous êtes plus entraînée: pratiquez une vingtaine de répétitions dans un sens puis dans l'autre.

Ne faites pas…

Des cercles mal dessinés.
Des mouvements de reins à chaque mouvement de bras.
Une flexion des jambes insuffisante: il est important de sécuriser au maximum le bas de votre dos.

Quatre exercices simples et efficaces

Les détails à ne pas oublier…
Gardez bien en permanence vos mains dans l'axe du corps. Conservez les jambes immobiles en permanence. Ayez votre tête levée.

Comment respirer ?
Inspirez sur la phase de relâchement. Expirez sur la phase d'étirement maximal.

Combien de fois faut-il répéter l'exercice?
Si vous ne l'avez jamais pratiqué: faites une quinzaine de répétitions. Si vous êtes un peu plus entraînée: pratiquez une trentaine de répétitions (si possible sans vous arrêter).

Ne faites pas…
Une cambrure des reins, en raison de jambes insuffisamment fléchies. Un mouvement de la tête à chaque fois que vous tirez les bras vers l'arrière.

Exercice B

Cet exercice a la particularité de bien "étirer" la cage thoracique. Il est préférable de le pratiquer très lentement façon "stretching". Très apprécié, il procure rapidement une sensation de bien-être. On peut également le réaliser avec les bras semi-fléchis.
Lorsqu'il est bien réalisé, l'étirement se fait sentir au niveau de la poitrine et des épaules bien sûr, mais également jusqu'au milieu du dos.
Ce mouvement est utilisé en gymnastique corrective.

But de l'exercice

- Tonifier et raffermir le buste.
- Assouplir les épaules et le haut du dos.
- Améliorer le maintien dorsal.

Comment le faire ?

À partir de la position debout, fléchissez et écartez les jambes. Placez vos pieds parallèles entre eux.
Élevez vos bras tendus à la verticale. Les doigts doivent être entrelacés, les paumes dirigées vers le bas.
Il ne vous reste plus qu'à pratiquer des petits étirements lents vers l'arrière.

Afin de pallier la monotonie, vous pouvez:
- Intercaler un mouvement de petite amplitude avec un de plus grande.
- Pratiquer en alternance 2 exercices avec les bras tendus et 2 exercices avec les bras semi-fléchis.
- Rester 5 secondes en phase d'étirement vertical maximal.

Ne pas hésiter à aller réellement le plus loin possible vers l'arrière !

Petits étirements des bras tendus vers l'arrière.

Réalisation minimum: une quinzaine de répétitions.

Quatre exercices simples et efficaces

Exercice C

Mouvement connu depuis la nuit des temps, il nécessite un bon placement des avant-bras pour avoir toute son efficacité.
Certaines pratiquantes préfèrent le faire avec des petits poids : il n'y a aucun inconvénient. Il est cependant recommandé dans ce cas d'être un peu expérimentée.
Autre variante : il est également possible de le faire en contractant les bras en permanence.

But de l'exercice

- Restructurer les parties latérales des muscles pectoraux.
- Assouplir et tonifier le haut du dos.

Comment le faire ?

À partir de la position debout, fléchissez et écartez vos jambes. Placez vos pieds parallèles entre eux. Redressez bien votre dos. Placez vos avant-bras parallèles au sol et vos doigts en extension. Il ne vous reste plus qu'à étirer vos coudes vers l'arrière à l'aide de petits mouvements.
Pour une meilleure efficacité : gardez les épaules haussées en permanence.

Afin de pallier la monotonie, vous pouvez :
- Alterner 2 mouvements de petite amplitude avec 2 mouvements de plus grande amplitude.
- Alterner 2 gestes avec les poings serrés et 2 gestes avec les doigts en extension.

Il n'y a qu'à...

Tirer les coudes en arrière.

Réalisation minimum : 15 répétitions.

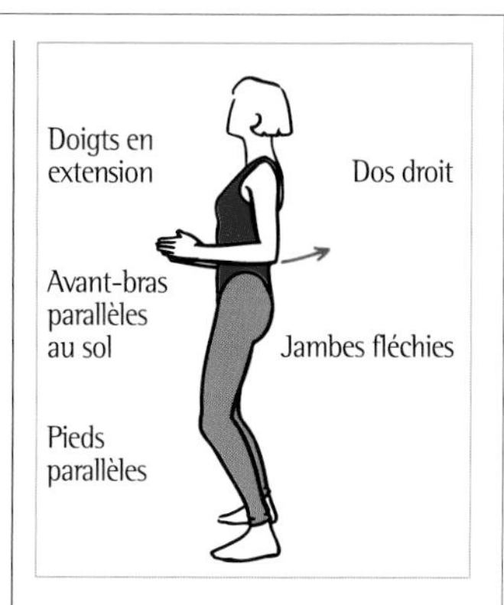

Les détails à ne pas oublier...

Gardez les avant-bras bien parallèles au sol.
Veillez à ce que les omoplates se touchent à chaque mouvement.
Gardez la tête levée.

Comment respirer ?

Inspirez lorsque les bras reviennent vers l'avant.
Expirez lorsque les omoplates se touchent.

Combien de fois faut-il répéter l'exercice ?

Si vous êtes débutante : pratiquez une quinzaine de répétitions.
Si vous êtes plus entraînée : faites une trentaine de répétitions.

Ne faites pas...

Tirer un bras plus que l'autre vers l'arrière.
Incliner le buste vers l'avant.
Arrondir le dos.

Quatre exercices simples et efficaces

Les détails à ne pas oublier…
Ne laissez pas vos mains glisser au fur et à mesure le long de vos avant-bras ; cela risque de changer la nature du mouvement.
Gardez le bas du dos parfaitement immobile.
Conservez votre tête droite.

Comment respirer ?
Inspirez lorsque les bras reviennent à la verticale.
Expirez sur la phase arrière maximale du mouvement.

Combien de fois faut-il répéter l'exercice ?
Si vous êtes débutante: faites juste une quinzaine de répétitions.
Si vous êtes plus entraînée: répétez l'exercice une trentaine de fois.

Ne faites pas…
Le dos rond en le pratiquant.
Une torsion de la colonne vertébrale à chaque mouvement.
Une extension progressive des jambes.

Exercice D

Peu connu, cet exercice n'en est pas moins efficace. Dès la position de départ, on constate d'ailleurs immédiatement son action sur les muscles pectoraux.
À savoir: cet exercice lié à une pratique respiratoire est également utilisé comme mouvement déstressant.
Il est important de penser à décontracter le cou durant toute la durée de l'exercice. Ne pas oublier non plus de détendre les muscles du visage.
Si vous le pouvez: pratiquez cet exercice devant une glace.

But de l'exercice

- Rehausser le buste en l'étirant bien vers le haut.
- Assouplir les épaules et le haut du dos.

Comment le faire ?

À partir de la position debout, écartez et fléchissez vos jambes. Vos pieds doivent être parallèles entre eux. Placez votre dos bien droit.
Il ne vous reste plus qu'à attraper vos coudes avec vos mains et à les élever à la verticale.
Pratiquez ainsi des petits mouvements lents vers l'arrière.

Afin de pallier la monotonie, vous pouvez:
- Alterner un mouvement lent avec un très lent.
- Rester 5 secondes dans la position d'étirement maximal.
- Décaler vos coudes à gauche et à droite en alternance.

Même si vous attrapez les avant-bras à la place des coudes : cela n'est pas très important.

Tirer lentement les coudes vers l'arrière.

Réalisation minimum: 15 répétitions.

Quatre exercices auxquels on ne pense pas

Exercice A

Vous verrez: il a un côté ludique!

Repousser un mur avec les bras.

Réalisation minimum: 10 répétitions.

Exercice B

2 temps distincts pour ce mouvement qui allie tonicité et souplesse.

Phase 1 : serrer les avant-bras devant vous.

Phase 2: extension des bras.

Réalisation minimum:

8 enchaînements.

Exercice C

Les annuaires ne servent pas qu'à renseigner !

Fléchir et tendre les bras en tenant un annuaire dans chaque main.

Réalisation minimum: 10 élévations.

Exercice D

Vous le ferez sans problème !

Rotations du buste vers l'avant puis vers l'arrière.

Réalisation minimum:

6 cercles vers l'avant,

6 cercles vers l'arrière.

Détail de ces exercices dans les pages suivantes

Ces exercices ne viennent pas naturellement à l'esprit, mais ils ont fait leurs preuves. Vous pouvez les pratiquer en toute sécurité.

Quelles sont les dernières techniques concernant l'augmentation des seins ?

Il faut distinguer deux sortes de prothèses:

- **Les prothèses gonflables constituées de ballonnets (en silicone) remplis de sérum physiologique. L'innocuité en est totale.**
- **Les prothèses pleines, réalisées en silicone.**

Elles ne présentent aucun risque de dégonflement mais il peut exceptionnellement y avoir quelques suintements. Cette intervention d'une durée d'une heure nécessite une anesthésie générale. La prothèse est placée entre la glande et le muscle. Les incisions se situent soit dans l'aisselle, soit au-dessus ou en dessous de l'aréole, ou sous le sein (dans le pli sous-mammaire). Le séjour en clinique dure de un à trois jours. Les fils sont retirés au bout de quinze jours. Il est indispensable de contrôler les prothèses (par radio) tous les ans. On les change au bout de vingt ans. Il est recommandé de s'abstenir de toute activité physique pendant un mois après l'opération.

Quatre exercices auxquels on ne pense pas

Les détails à ne pas oublier…

Ne cambrez pas: préférez arrondir le bas du dos, même si c'est moins esthétique. Conservez vos pieds parfaitement immobiles.

Comment respirer ?

Inspirez lorsque vous vous retrouvez debout à la verticale. Expirez en repoussant le mur avec les mains.

Combien de fois faut-il répéter l'exercice ?

Si vous êtes débutante: faites une dizaine de répétitions à votre rythme.
Si vous êtes plus entraînée: pratiquez une vingtaine de répétitions.

Ne faites pas…

Repousser le mur en s'y appuyant à peine.
Une flexion-extension des jambes afin de s'aider pour revenir à la verticale.

Exercice A

C'est un exercice que l'on peut faire contre n'importe quel mur sans aucune hésitation.
Bien sûr: plus vous vous éloignez du mur, plus le mouvement est performant. Cependant, au début, procédez avec progression. Placez-vous assez près, et agrandissez la distance au fur et à mesure.
C'est un mouvement intéressant au niveau du réflexe musculaire.
Si vous présentez réellement une fragilité dorsale: n'hésitez pas à le faire avec les jambes fléchies en permanence.
Ne prenez pas trop d'élan, afin de ne pas être déséquilibrée. Il est essentiel de contrôler l'exercice et de revenir correctement à la verticale.

But de l'exercice

- Tonifier la masse musculaire de la poitrine.
- Renforcer les muscles du haut du dos et, ce qui est intéressant…, raffermir le dessous des bras (les triceps), là où cela se relâche !

Comment le faire ?

Placez-vous face à un mur à environ 80 cm (plus si vous êtes plus grande).
Écartez vos jambes. Placez vos pieds parallèles entre eux.
Fléchissez vos bras à hauteur des épaules, les paumes dirigées vers l'avant.
Il ne vous reste plus qu'à:
Phase 1: vous laisser choir sur le mur vers l'avant.
Phase 2: repousser le mur afin de revenir à la verticale.
N'ayez aucune crainte: il n'y a aucun risque de traumatisme à se réceptionner ainsi.
Si vous vous sentez très sûre de vous: faites-le avec les jambes serrées.

N'hésitez pas à repousser le mur avec énergie.

Repousser un mur avec les bras.
Réalisation minimum: 10 répétitions.

Quatre exercices auxquels on ne pense pas

Exercice B

Exercice simple mais qui requiert une certaine vigilance pour être opérationnel.
En effet, il ne faut pas oublier les deux points importants: serrer les avant-bras l'un contre l'autre le plus haut possible, et hausser les épaules sur l'extension des bras.
Ce mouvement peut être pratiqué avec des bracelets lestés aux poignets ou avec des petits poids.
Il est également possible de le faire assise sur un tabouret.

But de l'exercice

- Muscler en finesse les pectoraux et les étirer afin d'obtenir un galbe harmonieux.

Comment le faire ?

À partir de la position debout, écartez et fléchissez vos jambes. Placez vos pieds parallèles entre eux. Redressez bien votre dos.
Il ne vous reste plus qu'à:
Phase 1: serrer les coudes devant vous le plus haut possible (les avant-bras étant à angle droit avec les bras).
Phase 2: écarter les bras (avec les épaules haussées) le plus loin possible.
N'oubliez pas de conserver la tête levée en permanence.

IMPORTANT: restez au moins deux secondes sur chaque phase.

Mouvement mixte très complet.

Phase 1: serrer les avant-bras devant vous le plus haut possible.
Phase 2: écarter les bras, les épaules haussées.

Réalisation minimum: 8 enchaînements.

Les détails à ne pas oublier…
Conservez les jambes fléchies en permanence.
Les paumes doivent être bien en contact sur la première phase du mouvement.

Comment respirer ?
Inspirez entre les deux phases.
Expirez sur chaque phase.

Combien de fois faut-il répéter l'exercice ?
Si vous êtes débutante: faites 8 enchaînements (16 mouvements alternés).
Si vous êtes plus entraînée: pratiquez 15 enchaînements (30 mouvements alternés).

Ne faites pas…
Une extension des jambes au fur et à mesure que l'exercice se déroule.
Une cambrure au niveau des reins.
Une légère flexion des bras sur la deuxième phase du mouvement.
Pencher le buste sur un des côtés.

Quatre exercices auxquels on ne pense pas

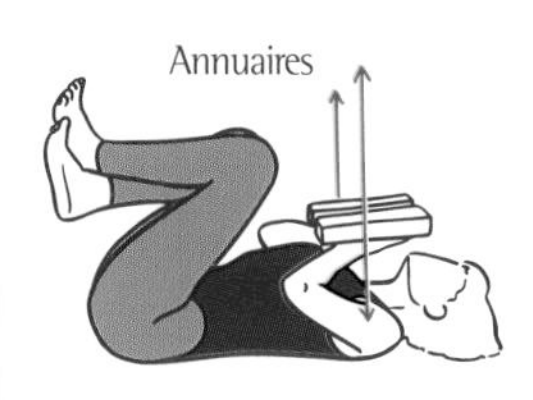

Les détails à ne pas oublier…

Conservez les bras bien parallèles entre eux durant leur élévation.
Gardez en permanence les jambes en élévation.

Comment respirer ?

Inspirez sur la flexion des bras.
Expirez sur l'extension des bras.

Combien de fois faut-il répéter l'exercice ?

Si vous êtes débutante: faites 5 élévations. Reposez-vous 5 ou 6 secondes et recommencez.
Si vous êtes plus entraînée: pratiquez une dizaine d'élévations. Reposez-vous 5 ou 6 secondes et recommencez.

Ne faites pas…

Une élévation dissymétrique des bras.
Une élévation de la tête. Elle doit être en permanence en repos sur le sol.
Une déviation du corps sur le côté.

Exercice C

Le point important: les charges doivent être identiques au bout de chaque bras.
Ce mouvement s'assimile complètement à l'exercice de développé-couché qui, en musculation, tonifie fortement les muscles pectoraux.
Vous pouvez le pratiquer sur votre lit ou sur votre moquette, comme vous voulez. L'essentiel est que les lombaires soient bien en contact avec le sol.
Si vous fréquentez une salle de remise en forme, prenez un poids de 2 ou 3 kg dans chaque main et utilisez un banc de musculation.
Si vous vous sentez fatiguée au bout de quelques élévations, vous pouvez ne pas tendre complètement les bras.

But de l'exercice

• Tonifier fortement et en profondeur les muscles de la poitrine.
Un détail: il raffermit également le dessous des bras et le haut du dos.

Comment le faire ?

À partir de la position sur le dos: repliez vos jambes croisées vers la poitrine. Décontractez bien votre nuque.
Tenez un annuaire, un poids… (ou tout autre objet) dans chaque main et:
Phase 1: élevez vos bras à la verticale, bien dans l'axe des articulations.
Phase 2: fléchissez vos mains sur la poitrine sans trop y prendre appui.

Vous pouvez utiliser les objets de votre choix, si vous n'avez pas d'annuaires sous la main.

Flexions/extensions des bras avec deux annuaires.

Réalisation minimum: 10 élévations des bras.

Quatre exercices auxquels on ne pense pas

Exercice D

Mettez un petit tapis (ou un coussin) sous vos genoux pour un meilleur confort. Une moquette peut faire également l'affaire. Ne vous méprenez pas: cet exercice est un mouvement de bras pour renforcer les pectoraux et non un mouvement de bassin. Donc: n'hésitez pas à bien écarter vos bras et à les fléchir suffisamment pour que l'exercice soit efficace.
Si vous préférez, vous pouvez le réaliser toujours à genoux, mais avec les jambes fléchies et croisées.

But de l'exercice

- Tonifier les pectoraux.
- Acquérir un joli bombé du décolleté.

Comment le faire ?

À partir de la position quadrupédique: placez-vous en appui sur vos genoux. Ecartez vos jambes. Prenez appui sur le sol. Placez vos mains écartées devant vous. Fléchissez les bras.
À partir de cette position: réalisez des rotations du buste vers l'avant puis vers l'arrière.
Restez bien en équilibre sur vos genoux.
Note: il est tout à fait normal que vos tibias se décollent du sol.

Afin de pallier la monotonie, vous pouvez:
- Alterner 2 petites rotations avec 2 grandes.
- Alterner une rotation dans un sens avec une dans l'autre sens.

Vous ne l'avez jamais fait ? Découvrez-le, il vous plaira !

Rotations du buste vers l'avant puis vers l'arrière.

Réalisation minimum: 6 cercles vers l'avant et 6 cercles vers l'arrière.

Les détails à ne pas oublier...

Conservez votre dos le plus droit possible afin d'éviter tout risque de cambrure. Mieux vaut avoir le bas du dos arrondi que de prendre le moindre risque. Se concentrer sur les mouvements du buste et des bras.

Comment respirer ?

Inspirez sur la descente du buste.
Expirez sur la partie haute du cercle.

Combien de fois faut-il répéter l'exercice ?

Si vous êtes débutante: faites 6 rotations vers l'avant du buste.Reposez-vous quelques secondes.
Faites à nouveau 6 rotations vers l'arrière.
Si vous êtes plus entraînée: pratiquez 10 rotations vers l'avant suivies de 10 rotations vers l'arrière.

Ne faites pas...

Un creux au niveau des reins en avançant le buste vers l'avant.
Un mouvement de tête à chaque rotation.
Un battement de jambes à chaque geste: elles doivent rester immobiles.

Les jambes

Les jambes sont les moyens de locomotion du corps, il importe en conséquence d'en prendre soin.
La surveillance médicale pour contrôler la circulation sanguine ou les excès de poids et une activité physique régulière assurent une réelle prévention contre certains maux de la sénescence. Il est important d'en avoir conscience.
Quant à leur esthétique, il existe actuellement maints traitements et méthodes permettant l'obtention d'une nette amélioration.
La pratique sportive peut, elle aussi, contribuer à modifier la ligne d'une jambe.
Tout dépend, bien sûr, du sport pratiqué, de l'assiduité et de la façon dont on s'entraîne.
Ce chapitre a donc pour but de vous apprendre à bien mouvoir muscles et articulations.
Vous pouvez aussi, grâce aux petits programmes journaliers proposés, tonifier, affiner ou assouplir vos jambes sans y consacrer trop de temps.

Les exercices décrits ci-après sont variés et à la portée de toutes. Donc, PAS D'EXCUSE !

Pour affiner et raffermir vos jambes

4 attitudes à adopter quotidiennement pour affiner et raffermir vos jambes

▲ Ne restez pas trop longtemps debout

▲ Portez les chaussures à talons de 5 cm

▲ Éviter les mis-bas qui serrent les mollets

▲ Dormez avec les jambes surélevées

Généralités

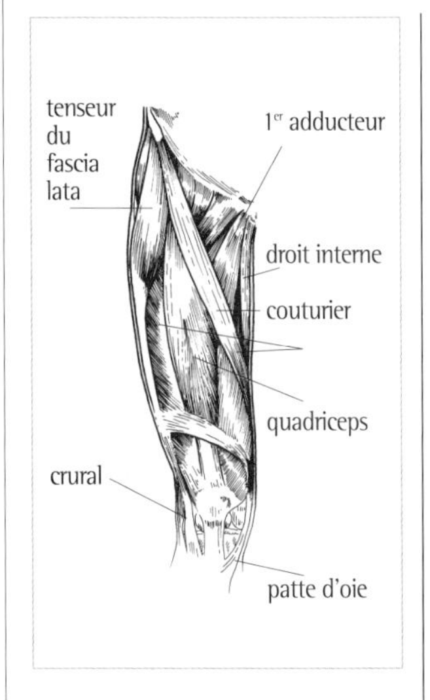

Petit rappel d'anatomie

Afin de vous aider à mieux comprendre votre corps et à bien l'entretenir, voici quelques petites notes d'anatomie.

Les muscles de la cuisse

Le quadriceps dont tout le monde parle est composé : du droit antérieur, du vaste interne, du vaste externe et du crural.

Le quadriceps est extenseur de la jambe sur la cuisse.

Le groupe musculaire postérieur est composé du demi-membraneux, du demi-tendineux et du biceps jambier.
Le groupe musculaire interne (l'intérieur des cuisses) est formé du pectiné, du grand adducteur, du moyen adducteur, du petit adducteur et du droit interne.

Le groupe musculaire postérieur est fléchisseur de la jambe sur la cuisse.

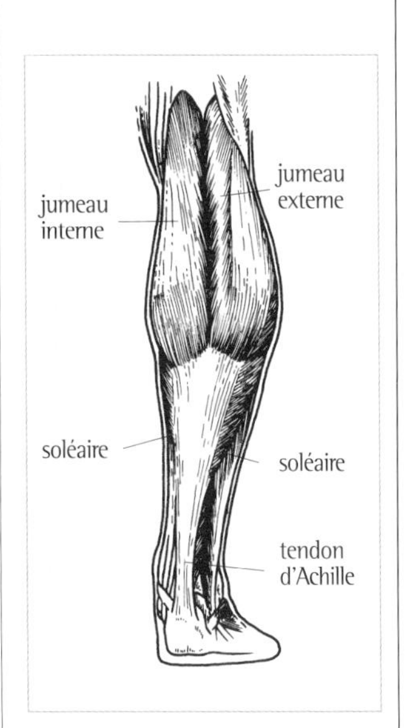

Les muscles de la jambe

Le groupe musculaire antérieur comprend : le jambier antérieur (c'est lui qui fléchit le pied sur la jambe et permet la rotation interne du pied), l'extenseur propre du gros orteil, l'extenseur commun des orteils et le péronier intérieur.
Le groupe musculaire externe est composé du court péronier latéral et du péronier latéral.

Tous deux sont extenseurs et rotateurs externes du pied

Le groupe musculaire postérieur comprend :
plan profond : le poplité, le long fléchisseur commun des orteils, le jambier postérieur, le long fléchisseur propre du gros orteil.
plan superficiel : le muscle soléaire et les jumeaux.

À savoir : le talon d'Achille est l'aboutissement des muscles soléaires et jumeaux.
C'est le plus gros tendon de l'organisme.

Vue d'ensemble générale

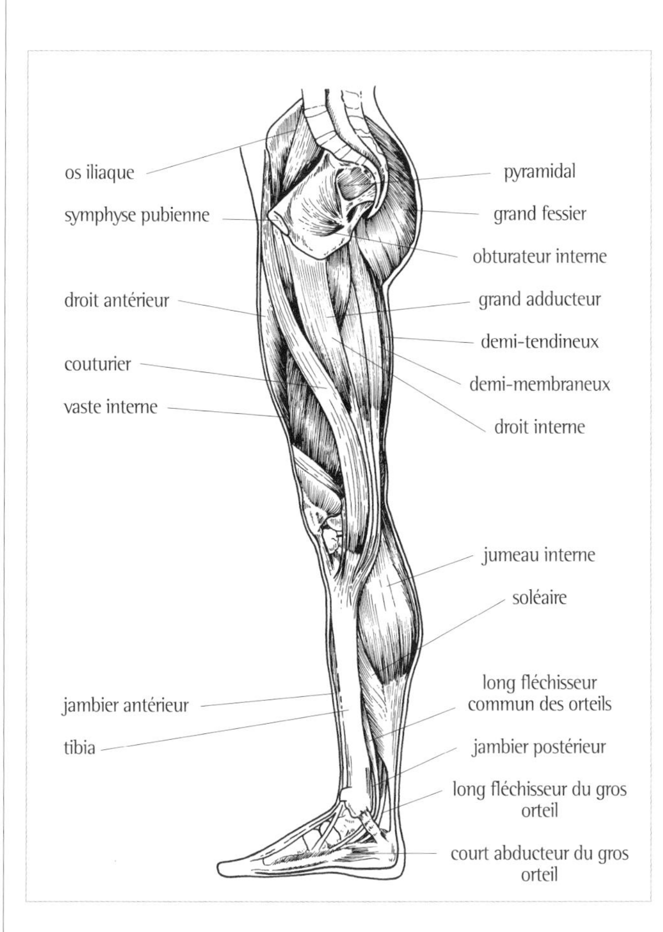

Trois excellents conseils:

- Tous les soirs, massez-vous les jambes avec un soin spécifique en aidant bien la circulation de retour.
- Buvez un litre et demi d'eau minérale par jour.
- Pendant vos vacances, promenez-vous dans la mer pour profiter d'un massage naturel et marchez sur le sable pieds nus pour activer la circulation sanguine.

Pour de jolies jambes

Évitez absolument :

- **Les expositions prolongées au soleil de midi**
- **Les bains chauds**
- **Les vêtements serrés**
- **Les épilations à la cire chaude**
- **La sédentarité**
- **Les excès de poids**
- **Les longues stations debout**
- **Les sports violents**
- **Le chauffage par le sol**
- **Le sauna**
- **Les grands écarts soudains de température (par exemple, hammam et douche glacée)**
- **L'excès de café, thé, épices et le vin blanc**
- **L'alimentation riche en graisses**
- **Le tabac**
- **Dormir à plat (pensez à placer de petites cales sous les pieds de votre lit)**

Trois agréables mouvements pour affiner les jambes

Ces exercices sont détaillés dans les pages suivantes

N'oubliez pas:
Travaillez avec progression: ne faites pas les premiers gestes à fond !

Le nombre de répétitions recommandé est le minimum pour obtenir un résultat. Vous pouvez bien sûr l'augmenter (c'est même conseillé !).

En 10 minutes maximum

Que penser du drainage lymphatique ?

**C'est une technique très efficace qui, en sus de l'obtention du résultat, garantit une réelle détente psychologique.
Il est cependant nécessaire d'être très assidue pour être satisfaite. Le drainage lymphatique est pratiqué en milieu hospitalier, par les kinésithérapeutes et par les estéticiennes diplômées ayant suivi une formation spécifique.**

Exercice 1

Faire 15 lancers
de chaque jambe devant soi.

Exercice 2

Faire 30 extensions alternées
des jambes vers l'arrière.

Exercice 3

Faire 15 lancers
de chaque jambe sur le côté.

Trois agréables mouvements pour affiner les jambes

Conservez les épaules vers l'arrière. Préférez élever peu une jambe tendue plutôt que monter haut une jambe fléchie. Si vous "sentez" bien ce mouvement, il n'y a aucun inconvénient à ce que vous preniez de l'élan.

Exercice 1

Lancers de jambe devant soi

Description

Debout: élevez votre jambe tendue devant vous sans forcer. Ne cherchez surtout pas à la monter le plus haut possible. Vous pouvez prendre appui sur un meuble avec une de vos mains pour stabiliser votre équilibre. Travaillez à votre rythme. Toutefois, si vous faites plus de 20 élévations, commencez à travailler sur un rythme dynamique.

Répétitions

Faites 15 élévations minimum de la jambe gauche. Reposez-vous 5 à 6 secondes. Procédez de même avec la jambe droite.

Respiration

Expirez par la bouche en montant la jambe. Inspirez par le nez lorsque la jambe redescend.

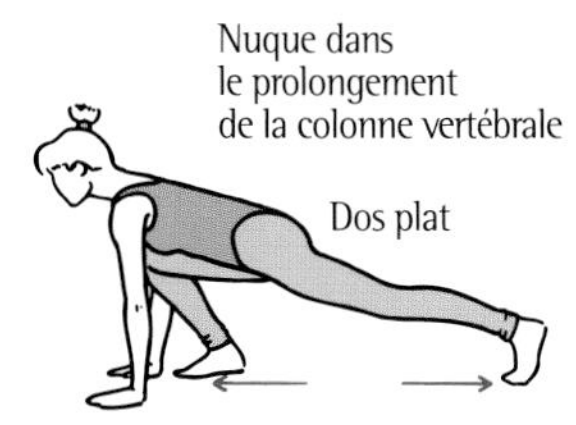

• Pensez à bien tendre la jambe à l'arrière, même si vous travaillez rapidement.
• Gardez les jambes dans le prolongement du corps: ne les déviez pas !

Exercice 2

Extension de jambes à l'arrière

Description

Accroupie, tendez en alternance une jambe à l'arrière. Essayez de travailler sur un rythme rapide. Cet exercice fait intervenir de façon plus marquée le système cardio-vasculaire.

Répétitions

Faites trente changements de jambes au minimum.

Respiration

Réglez votre respiration sur votre rythme d'exécution. Toutefois, si vous vous exercez relativement lentement: expirez par la bouche à chaque changement de jambe.

Trois agréables mouvements pour affiner les jambes

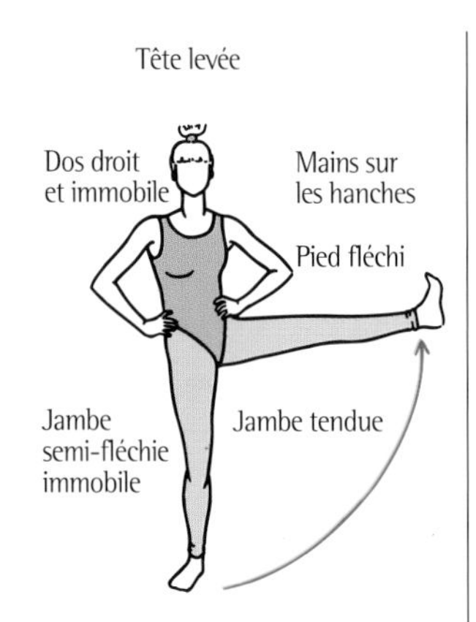

Conservez bien le corps immobile, et notamment la jambe d'appui, pendant la réalisation du mouvement. Si vous en ressentez le besoin : n'hésitez pas à prendre de l'élan.

Exercice 3

Lancers de jambes sur le côté

Description

Debout, élevez votre jambe tendue sur le côté. Afin de vous sécuriser: vous pouvez prendre appui sur un meuble.

Répétitions

Faites 15 élévations de la jambe gauche. Reposez-vous 5 ou 6 secondes. Puis, faites 15 élévations de la jambe droite.

Respiration

Expirez par la bouche en élevant la jambe.

Que penser des collants de contention ?
Ces collants de maintien en micro-fibres servent de tuteurs aux veines (il existe aussi des bas). Beaucoup de médecins les prescrivent en pré-traitement ; certains sont remboursés par la sécurité sociale.

Qu'appelle-t-on veinotoniques ?
Ce sont des composants destinés à renforcer les parois veineuses. Ils contiennent des plantes, telles que le cyprès, le marron d'Inde, le ruscus, la vigne rouge, etc.
D'autres médicaments plus récents agissent sur les fibres collagènes des veines. Ils sont souvent conseillés en cures de deux mois.

Trois agréables mouvements pour raffermir les jambes

Exercice 1

Faire 20 élévations alternées des jambes tendues sur le côté.

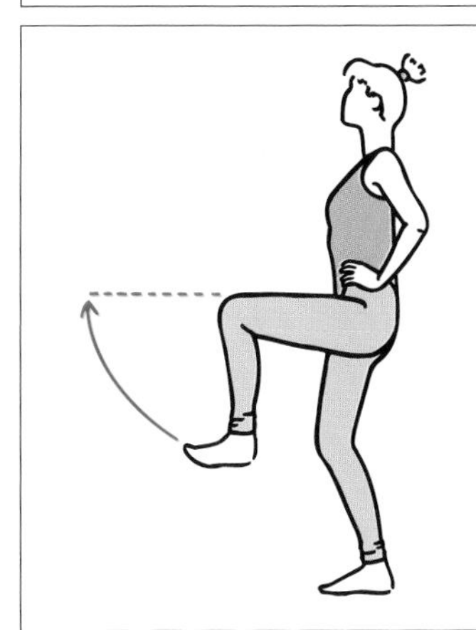

Exercice 2

Faire 20 flexions-extensions de chaque jambe.

Exercice 3

Faire 10 petits cercles sur le côté dans un sens, puis dans l'autre, de chaque jambe.

Ces exercices sont détaillés dans les pages suivantes

N'oubliez pas :
travaillez avec progression. Ne faites pas les premiers gestes à fond.

En 10 minutes maximum

Le nombre de répétitions indiqué est le minimum pour obtenir un résultat. Vous pouvez, bien sûr, l'augmenter (c'est même conseillé !).

Trois agréables mouvements pour raffermir les jambes

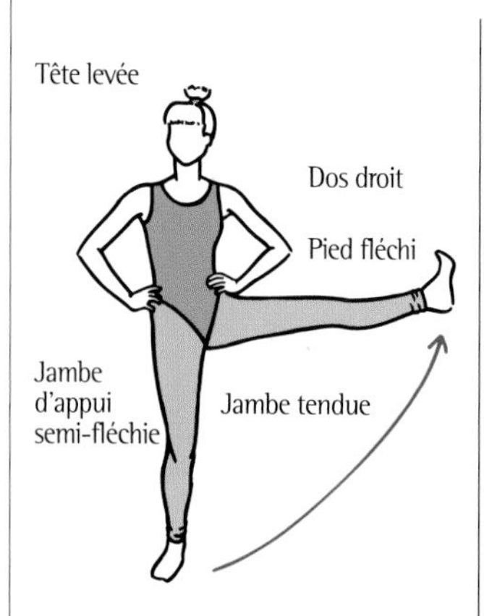

Conservez votre jambe d'appui immobile au moment de l'extension et de la montée maximale de la jambe.

Exercice 1

Élévations alternées des jambes sur le côté

Description

Debout, élevez une jambe tendue en alternance sur le côté. Travaillez sur un rythme constant. Vous pouvez prendre appui sur un meuble.

Répétitions

Faites 20 élévations alternées minimum.

Respiration

Expirez par la bouche lors de chaque élévation ou lors d'une élévation sur deux.

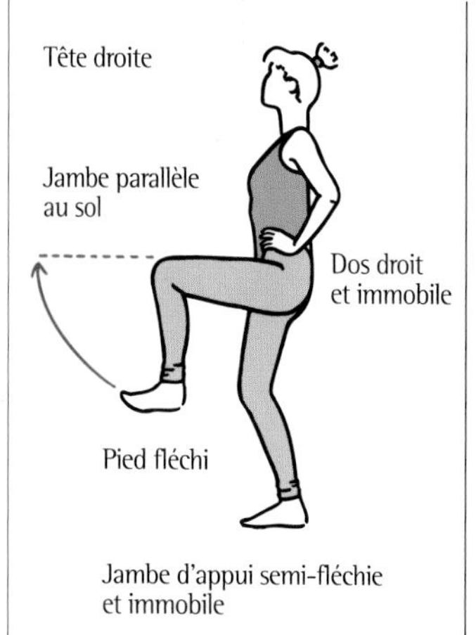

Gardez votre jambe d'appui bien stable ainsi que votre dos.

Exercice 2

Flexions et extensions de la jambe

Description

Debout, tendez et fléchissez en alternance votre jambe gauche devant vous. Ensuite, procédez de même avec la jambe droite. Travaillez sur un rythme constant. Si vous manquez d'équilibre, vous pouvez prendre appui sur un meuble.

Répétitions

Faites au minimum 20 flexions-extensions de chaque jambe.

Respiration

Respirez le plus lentement possible.

Trois agréables mouvements pour raffermir les jambes

Exercice 3
Petits cercles sur le côté

Description
Debout, faites de petits cercles sur le côté avec la jambe tendue le plus haut possible.

Répétitions
Faites 10 cercles de la jambe gauche dans un sens. Reposez-vous 10 secondes. Procédez de même avec la jambe droite. Recommencez ensuite en inversant le sens des cercles.

Respiration
Respirez le plus régulièrement possible.

- Préférez reposer votre jambe active plutôt que de l'abaisser progressivement.
- Essayez de réaliser vos cercles toujours à la même hauteur du sol.
- Ne penchez pas le corps sur le côté.

Pourquoi a-t-on les jambes lourdes ?
Tout simplement parce que le retour veineux se fait mal. Il importe de prendre rapidement rendez-vous avec un phlébologue. C'est souvent un phénomène héréditaire. Par exemple, si vos parents souffrent de problèmes circulatoires, 80 % d'entre vous auront les mêmes problèmes.
Lors d'une visite chez le spécialiste, ce dernier effectue un interrogatoire, un examen technique et un écho-Doppler (échographie et ultrasons) qui permet d'évaluer l'état de vos veines. Cet examen révèle l'état précis de dilatation des veines superficielles et permet de constater, entre autres, l'état des varices. De nombreux gels et crèmes contenant du camphre et du menthol apportent un réel bien-être. A noter qu'il existe des bas réfrigérants.
En quoi consiste le lifting de l'intérieur des cuisses ?
Le chirurgien retire la graisse par lipo-aspiration. Il est souvent nécessaire de supprimer l'excédent de peau. La cicatrice se trouve dans le pli de l'aine et se prolonge parfois jusque dans le pli fessier.
Les sutures, un pansement de contention et une gaine concluent cette intervention. Le séjour en clinique ne dure pas plus de deux jours. Des ecchymoses et un œdème apparaissent et se résorbent au bout d'une quinzaine de jours. Une sensibilité est présente durant 10 jours environ. Un traitement antalgique peut soulager une période douloureuse.

Le stretching

C'est une méthode scientifique d'étirement musculaire issue du hatha yoga, mais également de la gymnastique et de la danse classique.
Il est extrêmement bénéfique pour la colonne vertébrale. Il faut savoir qu'en cas de déformation de la colonne vertébrale, le stretching se révélera impuissant à l'instar des autres formes d'action. C'est toutefois une des disciplines les plus bénéfiques pour le dos.
Il peut être utilisé comme thérapie par divers professionnels.
Quel que soit le mouvement que l'on réalise, il y a toujours des effets au niveau de la colonne vertébrale. Exemples :
- Une flexion du buste vers l'avant provoque une extension des ligaments postérieurs de la colonne vertébrale. Cette action aide à la diminution des lordoses cervicales et lombaires.
- Les flexions latérales et les rotations du buste assouplissent les ligaments intervertébraux.
- Les extensions du corps en position debout ou allongée sont recommandées pour les tassements vertébraux.

Assouplissez-vous en toute sécurité à l'aide du stretching

4 exercices sélectionnés à faire chaque jour pour...

▲ L'assouplissement améliore l'état musculaire, les tendons, les ligaments et les tissus conjonctifs

▲ Le stretching amplifie l'élasticité des muscles, ce qui constitue un excellent moyen de prévention pour les foulures et même les déchirures musculaires

▲ Le stretching est recommandé aux personnes souffrant de crampes ou de fatigue chronique

▲ Respectez bien le temps de pose des techniques

Généralités

À noter

La pratique de 10 à 15 minutes de stretching est indispensable ou très bénéfique après les activités suivantes:
- **le jogging**
- **le tennis**
- **le squash**
- **le ski**
- **le vélo**
- **le ski nautique**
- **l'escalade**
- **la randonnée**

RAPPEL

Principe de cette méthode de stretching, s'étirer entre 20 et 30 secondes sur une posture tout en essayant de se décontracter afin de s'assouplir encore plus.

Important

Il est essentiel de ne pas retenir sa respiration lors d'une posture.

Dans le cadre de ce guide, nous retiendrons la technique de respiration la plus simple : l'inspiration contrôlée par le nez et l'expiration deux fois plus lente par la bouche.

Le stretching

Il existe un bon nombre de méthodes différentes mais, en règle générale, elles s'appuient sur cinq procédés d'origine américaine:

1. Passive lift and hold (exercer une traction passive et tenir la position)

Il s'agit d'un stretching très élaboré qui se réalise à deux: une personne étire avec progression l'articulation de l'autre jusqu'à son maximum.

- Phase 1: les muscles du membre se contractent pendant 6 secondes.
- Phase 2: les muscles se laissent étirer passivement.

Ce stretching est basé sur l'alternance de la phase 1 (durée 6 secondes) et de la phase 2 (durée 54 secondes).

Cette méthode a fait ses preuves mais requiert une certaine expérience, un contrôle et une connaissance du corps, et ne peut être pratiquée par un néophyte sans le regard d'un professionnel.

Ce stretching est peu pratiqué dans les salles de remise en forme, mais, en revanche, il est apprécié dans certains milieux du sport professionnel.

2. La méthode P.N.F. (prosprioceptive neuromuscular facilitation)

C'est un stretching complexe demandant de l'organisation gestuelle et de la précision. Il s'exécute à deux. Le principe comporte 5 parties distinctes.

- Phase 1: on étire au maximum un groupe musculaire.
- Phase 2: on garde 6 secondes cette extension de façon isométrique (contraction musculaire telle que la longueur du muscle ne change pas alors que la force augmente). Pour cela, il est nécessaire d'avoir un partenaire ou une machine qui oppose une résistance.
- Phase 3: sans bouger, on détend le muscle 4 secondes.
- Phase 4: on étire encore plus le muscle.
- Phase 5: on maintient la traction maximum 10 secondes.

Pour un résultat, il faut reproduire au moins trois fois ces différentes phases.

Ce stretching rentabilise très bien les réflexes musculaires ; beaucoup d'athlètes de haut niveau l'utilisent.

Le domaine de la rééducation a également contribué à consolider sa réputation.
Il est pratiquement absent des salles de remise en forme, en raison de sa complexité et de la maîtrise corporelle qu'il requiert.

3. "Ballistic and Hold" (balancer et maintenir la position)

C'est une méthode très controversée, de moins en moins utilisée mais elle n'est absolument pas à bannir. Comme les autres, elle a ses adeptes !
Il s'agit simplement de réaliser des balancements d'un bras ou d'une jambe, et de le maintenir 6 secondes tous les 4 mouvements en posture extrême.
Une réflexion : par rapport aux méthodes précédentes, cette dernière est déjà beaucoup plus à la portée de tous.

4. Relaxation Method (méthode de relaxation)

Un partenaire étire pendant une minute minimum une articulation dont les muscles se relâchent peu à peu.
Cette méthode, extrêmement efficace, très prisée aux États-Unis, vise en plus de l'obtention de la capacité limite d'extension musculaire l'inhibition du réflexe d'extension (réflexe myostatique). Il est possible d'atteindre cet objectif... avec de l'entraînement et du temps !
Ce moyen très intéressant de s'assouplir n'est pas à conseiller à des personnes peu habituées à exercer leur corps.
Les tensions ne doivent être exécutées qu'avec sérieux, méthodologie et une attention extrême. Ce stretching est particulièrement recommandé aux personnes très nerveuses, ou tendues.

5. Prolonged Stretching (stretching prolongé)

Un partenaire étire durant une minute une articulation jusqu'à son maximum.
La différence avec la précédente méthode est que celle-ci ne nécessite pas une décontraction musculaire durant l'extension.
De nombreuses variantes sont issues de ces méthodes et on pourrait presque dire qu'il existe autant de stretching que de professeurs...

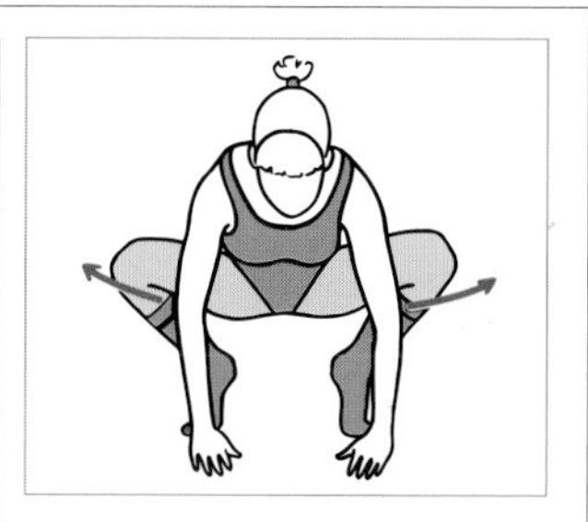

Le stretching est souvent recommandé aux personnes souffrant d'asthme (affection liée aux difficultés respiratoires) en raison du rôle important que joue la respiration.

À savoir

Dans le cadre de cours collectifs, le stretching doit être enseigné par des personnes diplômées d'État. Cela est très important car un mauvais enseignement de cette discipline peut avoir des conséquences néfastes durables, notamment au niveau dorsal.

Il est essentiel que le moniteur vous enseigne les postures que vous devez occulter en fonction de votre morphologie ou de votre déformation vertébrale par exemple...

En effet, certaines techniques issues du hatha yoga comportent des postures à base de cambrure lombaire. Elles ne sont pas à pratiquer n'importe comment, ni par tout individu ! Elles sont bien sûr exclues de ce chapitre.

Généralités

Comment s'effectue la respiration ?

La partie la plus importante est constituée des poumons où le sang veineux se transforme en sang artériel. Ces organes parenchymateux (tissu dont trois cellules ont une fonction physiologique spécifique) sont recouverts d'une membrane séreuse (formée de deux feuillets délimitant une cavité pouvant se remplir de gaz). La respiration réglée par le centre respiratoire situé dans le bulbe rachidien (au rythme d'environ 8 inspirations par minute) est caractérisée par:

L'inspiration

Le diaphragme se contracte
La partie supérieure du thorax augmente
La pression baisse
Les côtes supérieures se soulèvent
Les muscles externes intercostaux et les muscles nécessaires à l'inspiration se contractent
L'air entre: l'oxygène irrigue les tissus et les organes à partir des artères.

L'expiration

Le diaphragme se relâche
Les muscles expiratoires se contractent
La cage thoracique diminue en volume
La pression augmente
L'air chargé des gaz néfastes issus des capillaires est éjecté.

Les bienfaits du stretching

Ils sont multiples !
Le stretching améliore l'état des muscles, des articulations, des tendons, des ligaments mais aussi des tissus conjonctifs.
Il empêche, entre autres, la déformation musculaire due la plupart du temps à de mauvaises positions dans la vie quotidienne.
Certaines postures de stretching peuvent paraître étranges à un néophyte mais ce sont elles qui entretiennent la faculté d'adaptation du muscle à l'effort (positions qu'on ne prend jamais dans la vie courante).
Il ne se contente pas d'amener à une mobilité articulaire maximale, mais retarde le durcissement des articulations. Il aide également à la stimulation de la sécrétion du liquide synovial.
Le stretching est recommandé aux personnes qui souffrent de crampes ou de fatigue chronique souvent dues à l'inactivité.
En améliorant fortement l'élasticité musculaire, il constitue un excellent moyen de prévention des foulures et même des déchirures musculaires.
Comme beaucoup d'activités, il aide à l'élimination des déchets toxiques, et au bon fonctionnement du métabolisme musculaire.
Il permet une meilleure coordination gestuelle. Il est connu pour son action anti-stress et est recommandé aux personnes n'ayant pas une bonne circulation du sang.
Afin de donner une impression plus concrète des bienfaits du stretching, citons trois exemples:

- Lors d'un étirement du buste, on constate une augmentation de la pression dans les artères. C'est excellent pour la tension artérielle.
- La pratique régulière des flexions du buste génère un meilleur fonctionnement du péristaltisme des intestins (contractions organiques pour déplacer leur contenu). Cela fait office de massage des organes.
- Une rotation du buste amène le foie à mieux se dégorger.

Si vous manquez de stabilité dans les gestes, le stretching vous est recommandé car il permet une perception différente des mouvements du corps et développe le sens de l'équilibre.

Vos exercices à faire 2 fois par semaine ou si possible tous les jours

Détails dans les pages qui suivent

1e posture

Extension de la colonne vertébrale

- Élevez et étirez les bras tendus, doigts entrelacés.
- Durée de chaque pose: 20 secondes.
- À répéter 3 fois.

Détendez-vous une minute avant d'enchaîner la deuxième posture.

2e posture

Étirement du dos courbe

- Étirez les bras parallèles au sol, doigts entrelacés.
- Durée de chaque pose: 20 secondes.
- À répéter 3 fois.

Détendez-vous une minute avant d'enchaîner la troisième posture.

3e posture

Extension dorsale avec le buste fléchi

- Étirez au maximum les bras avec les mains sur le sol.
- Durée de chaque pose: 20 secondes.
- À répéter 3 fois.

Détendez-vous une minute avant d'enchaîner la quatrième posture.

4e posture

Extension du dos en position "à genoux"

- Étirez les bras devant vous.
- Durée de chaque pose: 20 secondes.
- À répéter 3 fois.

Passez ensuite à la relaxation.

La relaxation

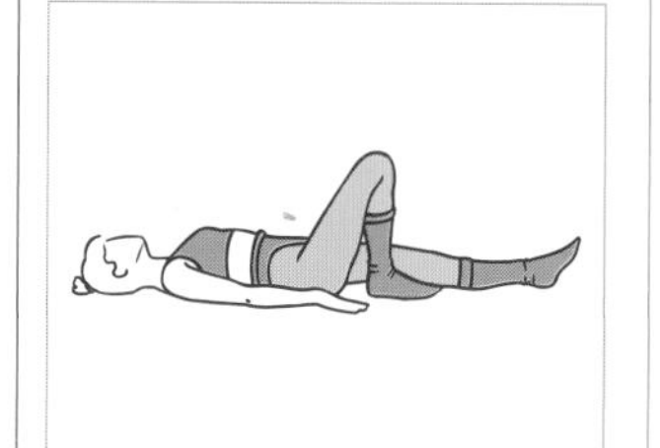

- Allongé sur le dos, une jambe tendue, l'autre fléchie: relâchez successivement toutes les parties du corps.
- Durée de 3 à 4 minutes.
- Relevez-vous avec lenteur.

Durée: 15 minutes maximum

Vos exercices à faire 2 fois par semaine ou si possible tous les jours

1e posture : Extension de la colonne vertébrale

N'oubliez pas :
Relaxez-vous une minute avant d'enchaîner la seconde posture.

Position de départ : debout
- Écartez et fléchissez vos jambes.
- Placez vos pieds parallèles.
- Élevez vos bras tendus à la verticale.
- Entrelacez les doigts et dirigez vos paumes vers le haut.

Stretching :
- Étirez au maximum durant 20 secondes vos bras vers le haut.
- Inspirez profondément par le nez, expirez deux fois lentement par la bouche.

Répétitions :
- 3 fois en vous décontractant quelques secondes entre chaque pose.

Erreurs à éviter :
- Tendre les jambes au fur et à mesure de l'extension.
- Pencher la tête vers l'avant.

Bienfaits :
- Évite les tassements vertébraux.
- Permet un meilleur maintien dorsal durant les heures qui suivent la réalisation de l'exercice.

2e posture : Etirement du dos courbé

N'oubliez pas :
Relaxez-vous une minute avant d'enchaîner la troisième posture.

Position de départ : debout
- Écartez et fléchissez vos jambes.
- Placez vos pieds parallèles.
- Positionnez vos bras parallèles au sol.
- Entrelacez les doigts et dirigez vos paumes vers l'extérieur.
- Penchez légèrement la tête vers l'avant.

Stretching :
- Étirez au maximum durant 20 secondes vos bras devant vous en arrondissant le dos.
- Inspirez profondément par le nez, expirez deux fois lentement par la bouche.

Répétitions :
- 3 fois en vous décontractant quelques secondes entre chaque pose.

Erreurs à éviter :
- Abaisser les bras au fur et à mesure de l'étirement.
- Contracter les muscles des cuisses.

Bienfaits :
- Pallie les contractures.
- Excellent pour les ligaments para-vertébraux.

Vos exercices à faire 2 fois par semaine ou si possible tous les jours

3e posture : Extension dorsale avec le buste fléchi

Position de départ: debout
- Fléchissez bien et écartez vos jambes.
- Placez vos pieds parallèles.
- Fléchissez votre buste vers l'avant, gardez le dos droit.
- Tendez vos bras parallèles devant vous et prenez appui sur le sol avec vos mains.
- Regardez devant vous.

Stretching:
- Étirez au maximum durant 20 secondes vos bras devant vous tout en étirant votre bassin vers l'arrière.
- Inspirez profondément par le nez, expirez deux fois lentement par la bouche.

Répétitions:
- 3 fois en vous décontractant quelques secondes entre chaque pose.

Erreurs à éviter:
- Étirer les bras par à-coups, ce qui provoque un déséquilibre du corps.
- Étirer un bras plus que l'autre.
- Arrondir le dos au lieu de le garder "plat".

Bienfaits:
- Soulage et élimine les tensions musculaires dorsales.
- Permet de ressentir le dos d'une façon inhabituelle.

N'oubliez pas:
Passez ensuite à la technique de relaxation

4e posture : Extension du dos en position "à genoux"

Position de départ: assis à genoux
- Écartez légèrement les jambes, les dessus des pieds sont en contact avec le sol, les fessiers en appui sur les talons.
- Placez les bras tendus devant vous et parallèles, les paumes des mains en appui sur le sol.
- Inclinez la tête vers le bas.

Stretching:
- Étirez au maximum durant 30 secondes les bras devant vous.
- Inspirez profondément par le nez, expirez deux fois lentement par la bouche.

Répétitions:
- 3 fois en vous décontractant quelques secondes entre chaque pose.

Erreurs à éviter:
- Prendre appui sur les orteils.
- Décoller les fessiers des talons.

Bienfaits:
- Sensation d'une réelle détente musculaire.
- Déstressant.

N'oubliez pas:
Relaxez-vous une minute avant d'enchaîner la troisième posture.

Vos exercices à faire 2 fois par semaine ou si possible tous les jours

Relaxation

Description:

- Allongez-vous lentement sur le dos, une jambe repliée, l'autre tendue.
- Placez vos bras le long du corps.
- Fermez les yeux.
- Relâchez ainsi successivement toutes les parties de votre corps (en commençant par la tête et en terminant par les pieds).
- Inspirez bien profondément par le nez, expirez deux fois plus lentement par la bouche.
- Puis ne pensez plus à rien, et restez pendant une minute dans une totale décontraction.

Durée totale:

- 3 à 4 minutes.

Relevez-vous avec une extrême lenteur, en passant par la position assise.

Quelle que soit la partie du corps que vous exercez,
sachez que les répercussions se font sur tout le reste du corps
et surtout n'oubliez pas:
l'assiduité dans l'entraînement est toujours récompensée !

Table des matières

Vos exercices personnels

Vos exercices personnels